ことばが世界をひらく

新言語教育学

横瀬和治

学而図書

本書の刊行にあたって

『ことばが世界をひらく』刊行委員会

本書は、横瀬和治先生による過去の著述および講義録から特に数点を選取し、その言及された分野に応じて全３章へと再編したものである。

第１章では、人間が言語を習得するための条件が、「前言語コミュニケーション」や「本物性」といった概念をもとに整理されている。また、「実践」を行う「共同体」に参加し、そこで生きていこうとする意志が、人間の「学び」にとって重要な意味をもつことが語られる。そして明らかになるのは、「ことば」は外界と闘って「獲得する」ものではなく、人と人とが共通世界をつくる共同行為としての「ことばの前のことば」から「生まれる」ものである、ということだ。

この章の内容は、第２章・第３章の基盤ともなるものであり、言語の習得のみならず、人間の「学び」そのものについての示唆を多く含んでいる。

第２章では、日本人が想定すべき英語を使う能力に関して、学校英語の変遷、「第二言語」の性質、言語を通して形成される知性、といった観点から光が当てられる。言語能力の発達とは、人のこころの発達にほかならない。そして、人は「ことば」に支えられて自己の世界を築き上げ、開かれた世界を知り、他者とのかかわりのなかで自己を確立していく。私たちは、母語を学ぶように「地球語としての英語」を学び、それを駆使することで、世界とコミュニケーションを行い、より深い意味の世界を生きてゆけるのである。

第３章では、「教養」が瓦解し、「知識」が体系性を失った現代社会において、「学び」が成立するために必要とされるものは何か、という問いが主題となる。すでに近代化型教育は終焉を迎え、子どもたちは大人の眼差しをかいくぐり、「他者」として歩みはじめているという指摘の重要性は、時を経ても失われるものではない。常に問い直されるべきは、教師や大人の抱く「モノローグ」的な教育観の閉鎖性と、私たち自身の価値観であろう。「学び」の成立する要件である、「出会い」と「対話（ダイヤローグ）」による学びの場と、共に追究し、学びあう関係の創出こそが、現代の教育に求められるものである。

本書は、グローバル教育研究会イーグルによる記念誌『新言語教育学』(2013年）を底本として制作された。刊行委員一同、本書が教育活動・社会活動に日々携わる諸氏の手元へと広く行き届き、その実践の一助となることを願ってやまない。

2022年8月30日

ことばが世界をひらく 新言語教育学　**目 次**

『ことばが世界をひらく』刊行にあたって ………… i

第1章 「ことば」が生まれるとき ………… 1

第1節 言語習得における「前言語コミュニケーション」………… 2

人間はなぜ言語を必要とするのか 2
「ことば」にならない「ことば」の必要性 3
「共通世界」を生み出す営みとしての「コミュニケーション」 7
他者と通じあうことへの喜び 10
コミュニケーションを成立させる「身体的コミュニケーション」 12
「ことば」は「獲得する」ものではない 15

第2節 「共同体」のなかの「本物性」………… 16

言語の習得と「本物性」 16
行動主義的学習観への批判 19
人はどのようにものを「理解」するか 22
「文章を理解する」ということ 24
どうすれば「転移」が起きるのか 27
自生する「学び」と動機づけの必要な「学習」 29
「学び」は「実践」のなかで行われる 31
「実践」のなかの「本物性」 33
「十全的参加」の必要性 36
「媒介」による知の「飛躍」と「転移」 39

第3節 「ことば」が生まれるとき………… 42

社会的な存在としての人間 42
「ことば」は「生まれる」ものである 43

第２章　地球語としての英語（English as a Global Language）............ 45

第１節　英語教育の今日的課題 46

どうすれば「英語」が「身につく」か　46
学校英語は実際的か　47
英語表現の担い手となれない学校英語　50
表現が成立したといえるとき　53
「場面」再現の欺瞞性　55
日本人が目指してきた「英語力」とは　58
英語教育の現在と今日的課題　61

第２節　「第二言語」としての英語.. 68

“The Native Speaker of English” とは誰のことか　68
「第一言語」と「第二言語」　71
「第一言語」と「第二言語」の習得過程の差　73
「母語」らしさを決めるもの　75
「話し言葉」と「書き言葉」　77

第３節　地球語としての英語 80

人間は意味世界の住人である　80
言語を通して形成される知性　83
世界知の獲得と「地球語としての英語」　86

第３章 「学び」の源泉を求めて 89

第１節 「リテラシー」の危機 90

「教養世界（リテラシー)」の崩壊 90
「教養」の瓦解と「知識」の情報化 93
滅びゆく思考力 96
アメリカにおける「リテラシー・ムーブメント」 101
「文化のリテラシー」 102
「リテラシーの危機」は存在するか 105
「リテラシー」が意味するもの 106
変化する「リテラシー」の基準 109
違わない日・米の「読み」の指導 112
必要とされる新たな「学習」観 114
「学校化社会」のなかの「教育」 116
「学校知」と「生活知」の乖離 118
減退する学習意欲 120
「他者」となる子どもたち 121
「近代化」型学校からの逃避 123
対話（ダイヤローグ）的関係の必要性 125

第２節 「近代化型教育」の終焉 128

近代日本教育史における二大革命 128
近代教育の礎となった「寺子屋」 128
戦後の高等教育の充実と民間教育 129
第３の波──学習の国際化── 131
「近代化」の時代の教育の終焉 132
２つの「授業」コンセプト 134

欧米から導入された「一斉授業」 135
反「画一主義」と「新教育」運動 137
「近代化」型教育の終焉 138
「一斉授業」の崩壊 140
期待される人間像の根本的な変化 141
教育は時代要求にどう応えるか 143
「学校化」された日常世界 144
「学校制度」への批判 146
「学校化されたモノローグ」教育への実践的批判 148
「モノローグ型」から「ダイヤローグ型」の学習へ 149
「学校離れ」「学習離れ」を受けとめる「オールタナティブ教育」 150
「システム」による「生活世界」の侵食 152
オールタナティブ志向の新・社会運動とその特徴 155
脱・産業社会と脱・学校の対応関係 157
「ホモ・エコノミクス」から「ホモ・リフレクション」へ 159

第3節 「学び」の源泉を求めて 161

「ポスト・モダン」の時代の「学び」 161
「出会い」と「対話」の場・「学びあう」関係の創出 162

第１章

「ことば」が生まれるとき

第１節　言語習得における「前言語コミュニケーション」

人間はなぜ言語を必要とするのか

日本人は、これまで、学校や英会話教室、あるいは英語教材を通して、英語の勉強に膨大な時間を費やしてきた。また、英語教育の分野でも、1950年代から現在にいたるまでの間に、“Audio-lingual Approach”、“Learner-centered Approach”、“Communicative Approach” など、多くの教授法が模索されてきた。

しかし、いくら私たちが英語を「勉強（study）」してみても、それはほとんど身につかず、「英語力」が世界に通用するようにならない。この事実は、すでに戦後50年以上にわたって、私たち自身が身をもって証明してきたはずだ。それでも、依然として、この種の英語の「勉強」重視の方法はくり返されている。では、いったいどうすれば英語が「身につく」のだろうか。

日本人のなかに根強く残りつづけている誤解は、「英語が身につくためには、24時間、英語をシャワーのように浴び続ける環境が必要である」というものだ。24時間ある言語に触れ続けるだけでいいのなら、海外留学をすればよいということにもなる。しかし言語の習得に関しては、ただ単純にひとつの言語を長時間にわたって浴び続ければよいというものではない。

このことについて考えるために、私たちはまず、人間が言語を習得しようとする理由について検討しなくてはならない。「ことば」は、ヒトを人間たらしめるきわめて重要なものである。だが、私たちはなぜ「ことば」を必要とするのだろうか。

もし私たちに、自分の見たもの、考えたことを、他の人にも一緒に見てほしい、という気持ちがなかったなら、「ことば」が必要だろうか。自分の驚きや喜びを、この人と分かちあいたい、という思いがなかったならば、人に「ことば」は要らないのではないか。

交わりたい他者がいる。通じ合おうとする他者がいる。そんなとき、私たちのこころは他者へ向かって開かれ、他者との「コミュニケーション」が生まれる。私たちが相手に話しかける「ことば」が生まれるためには、コミュニケーションのできる人間関係、つまり共に語りあうことのできる人と人との「間がら」がまず作られなければならない。

また、私たちに考える対象があり、知りたい対象があるときにも、「ことば」が必要だ。そうした対象があるとき、私たちのこころは対象に向かって開かれ、「ことば」がわき起こり、対象とのコミュニケーションが生まれる。

コミュニケーションとは、他者や対象の意識化の結果として生じるものであり、それらとのかかわりあい、関係の深めあいの過程そのものである。私たちが「ヒト」や「モノ」「コト」とかかわりあい、そのかかわりあいを共有し、通じあっていこうとするとき、そこにコミュニケーションが生じるのだ。「ことば」の世界とは、人びとが成長とともに手にするような他者や対象へのかかわりあいの道具であり、他者との意味の共有を可能にするもの、すなわちコミュニケーションを可能とするものにほかならない。

「ことば」にならない「ことば」の必要性

「ことば」の世界は、コミュニケーションを可能にする。しかし、私たちはコミュニケーションの表面に現れる「ことば」のみに注目するべきではない。それは、海面下に大部分を沈めた氷山の一角のようなものである。私たちは本来、「ことば」にならない「ことば」にも注目しなくてはならない。

たしかに、ヒトが「ことば」を操ることは自明のことだ。しかし、まったくの白紙の状態から、人間に「ことば」が生まれるわけではない。「ことば」を誕生させるために、人間に必要なことは何だろうか。

私たちは従来、あまりにも「ことば」を、それ自体で独立したものとして、とらえすぎてきた。最近ではその反省に立って「非言語的コミュニケーション（non-verbal communication）」や「前言語コミュニケーション（pre-verbal communication）」、「発話行為（speech acts）」といった面にも関心が持たれるようになってきている。これは、「はじめにことばありき」という西欧的世界観が崩れはじめていることを示してもいるのだろう。とは言え、「ことば」を中心として人間の「コミュニケーション行動」を眺めようとする方向性には、まだ根強いものがある。

そこで本節では、氷山の一角にすぎない「ことば」と、それを支える海面下の「コミュニケーション行動」の関係を、ひっくり返して眺めてみる。つまり、海面下にある「行動」の側から、「ことば」の生成過程を取り扱ってみたい。特に、人間が言葉を習得する以前に行っている「ことばの前のことば」によるコミュニケーション、すなわち「前言語コミュニケーション(pre-verbal communication)」の観点から、「ことば」が生まれる過程に迫っていくことになるだろう。

まず、「前言語コミュニケーション」の重要性について考えるために、「奇跡の人」として知られるヘレン・ケラー（Helen Keller）とアン・サリバン（Anne Sullivan）の事例を取り上げてみたい。ヘレン・ケラーという人物の概略は、次のようなものである。

ヘレン・ケラーは、1880年6月27日に、アメリカ南部アラバマ州の富裕な家に生まれ、物質的にも精神的にも恵まれた環境に育った。自伝『わたしの生涯（The Story of My Life)』[1]によると、生後1歳7ヶ月まで

1　Keller, H., 1903, *The Story of My Life*, Doubleday, Page & Company.（岩橋武夫・芥川潤訳，1937年，『ヘレン・ケラー全集』三省堂.，岩橋武夫訳，1966年，『わた

は順調に成長し、特に生まれて6ヶ月目には、片言で「ハウディ（こんにちは、“How d'ye”）」と言ったり、「ティー、ティー（お茶、“Tea, tea, tea”）」とはっきり発音して、周囲の人を驚かせたほどである。

ところが、1歳7ヶ月のときに重い熱病にかかり、その結果、目と耳が不自由になってしまう。耳が聞こえないので、聴覚からの入力がない。そのため「ことば」も話せない。しかし、この大病の後も、生まれて数ヶ月間で覚えた「ことば」のうち、「水」という「ことば」だけは覚えていて、その「ことば」のつもりで「ウォー、ウォー（“Wah-wah”）」と発音していた、という。

両親は、ヘレンとコミュニケーションをとることもできず、したがって躾もできないままでいた。そのような状態にあったヘレンが7歳のとき、両親はボストンから家庭教師としてアン・サリバン先生を連れてきた。サリバン先生も、幼少時はほとんど目が見えなかったという。彼女はヘレンに、まず躾と手話とを教え込もうとした。そして、ヘレンは目が見えなかったため、ヘレン自身の手のひらに手話のアルファベットを触らせて、教え込みをはかった。

最初のうち、ヘレンは、文字と、文字によって表されるものとの関係がわからなかった。しかし、1887年4月5日に突然、「奇跡」は起きたのである。このときヘレンは「ことば」を理解し、理性に目覚めていくのだが、彼女はその日のうちに「ことば」を30語も覚えてしまうのである。以後の彼女の進歩は目覚ましく、3年間で点字が読めるようになり、特別なタイプ・ライターを使って字を書くことも、また話すこともできるようになった。

その後、ヘレンはボストンの名門大学に通い、1904年には優等の成績で卒業した。それからのヘレンは、目や耳の不自由な人びとに関心を持ち、そのような人びとを助ける機関で働き、講演を行い、本を書いた。

しの生涯』角川書店.）

特に『わたしの生涯』は、彼女が大学在学中に出版されたものである。さらに卒業後には、2冊の本を書いている。

以上のヘレン・ケラーとサリバン女史に関する事柄は、W・ギブソン（Gibson, W.）作の “The Miracle Worker”（邦題：『奇跡の人』）をはじめ、映画や演劇で何度も取り上げられている。ことに「ことば」を理解するきっかけとして、井戸水の冷たさに「ウォーター」と気づく幕切れの場面は感動的だ。その最後の場面は、概略、次のようである。

サリバンは、甘やかされたヘレンの教育を行うため、甘やかす両親のもとからヘレンを離し、二人だけで小屋に閉じこもって暮らす。2週間の間に、ヘレンは刺繍を習い、ナプキンとスプーンの扱い方を学んだ。そして、二人は家に帰る。ところが家に帰ったとたん、最初の食卓で、ヘレンは食事を手づかみで食べ、何が気に入らないのか水差しの水をぶちまけてしまう。サリバンは、暴れるヘレンをポンプのある井戸端に引きずっていき、無理やり水を汲ませようとする。そのとき手にあたる冷たい水の感触が、ヘレンの内に突然、何かを目覚めさせた。

スポット・ライトに照らし出されたヘレンの顔は、今までと打って変わって、静かだ。何かを探るような表情をするヘレン。そのとき、彼女のなかに何かが突然目覚めたように「ウォー、ウォー」（幼児語の「ウォーター」）という、うめき声が喉からほとばしり出る。ヘレンが「ことば」に目覚める、感動的な場面である。

ところで、実際にヘレンが「ことば」を理解した場面は、本当にこの通りであったのだろうか。裕福な両親に甘やかされ、手のつけられない野生の子猿のようなヘレンを押さえつけ、まるで「調教」するかのようなサリバンの姿には、釈然としないものがある。はたして、「調教」によって、今の今まで荒れ狂っていたヘレンの身体のなかに「ことば」が生まれるものであろうか。

この場面は、怒り狂い、荒れ狂ったヘレンをサリバンが小脇にかかえ、無理やり引きずっていく後に起こったものと映画や演劇で取り扱われ、演出されてきた。だが、ヘレン・ケラーの自伝『わたしの生涯』と、サリバン先生が教育の過程で友人に書き送った書簡を集めた『ヘレン・ケラーはどう教育されたか――サリバン先生の記録』[2]についてよく検討してみると、戯曲やドラマで強調されているものとは、事情も背景も、微妙ながら、しかし決定的に違っていることがわかる。

「共通世界」を生み出す営みとしての「コミュニケーション」

ヘレン・ケラーがおかれていた実際の状況について検討する前に、ここで、「コミュニケーション」について詳しく触れておかねばならない。

「コミュニケーション」とは、一般的に、情報の伝達活動と解釈される。この用語は「共通の（common)」という意味をもつラテン語からきたものであり、「コミュニティ（地域共同体、community)」も同じ言葉を語源とする。つまり、人と人とのコミュニケーションとは、互いの間に「共通のもの」をつくりだす営みである。そのために人と人とは出会い、語りあい、情報、思想、態度などを伝達しあう。それは客体的な情報の伝達などではなく、むしろ他者との「相互理解」であるといえるだろう。

だから私たちが何かを他者に伝えようとするとき、まず共通の関心や経験を引っ張り出し、そこから本当に伝えたい事柄へとアプローチするための前提をつくりだしていく。そして、人間は何かを共に見ることで、互いの間に共通する世界、「共通世界」を生みだしていくのである。

「ことば」を習得しているということは、そのことばを使って「コミュ

---

2 アン・サリバン著，槇恭子訳，1973年，『ヘレン・ケラーはどう教育されたか――サリバン先生の記録』明治図書出版.

ニケーション」ができるということである。それは母語であっても、母語以外の言語（第二言語）であっても事情は変わらない、ということが、近年の研究によってわかってきた。ここで母語とは、人間が生まれて初めて学ぶ言語を指している。そして「母語（mother tongue)」という用語には、「初めてのことばは、母によるものである」（M・メルロー＝ポンティ、Merleau-Ponty, M.）[3]という考えが現れている。

人間は、未成熟な状態で人の社会に生まれ落ち、他者（ふつうは母親）に養育されることで成長していく。そして養育者は、自分が一番ここちよく表現できる言語で、新しく社会に出現した新参者であるわが子に語りかけながら、生きる知恵や文化の営みを伝えてゆく。このとき養育者が語りかけることばは、養育者の考え方、養育者を取り巻く文化を表すとともに、一つの体系をなした言語であるという側面をもっている。子どもは、養育者の考え方や文化に浸ることによって、体系をなす一つの言語としての「母語」を学んでゆく。

こうして子どもは、養育者にことばで語られながら、人としての営み、社会の営み、世界の現象など、生きる上で大切なことを学んでゆく。子どもにとっては、世界の営みを学ぶことが、母語を学ぶことでもある。人は生きる営みを通して、まわりの他者から、一つの言語体系を学びとっていくのである。

このように、母語の学びは、養育者の語りかけを聞くことからはじまる。子どもの世界は、母語で取り囲まれている。養育者にとって、子どもは語りかけるべき必然性を備えた、「頼りなげでかわいらしい」存在である。

養育者は「前言語」段階の子どもの身体と一体化し、子どもの意味世

3 Merleau-Ponty, M., 1962, *Les relations avec autrui chez l'enfant*, Centre de documentation universitaire.（滝浦静雄訳, 1966,「幼児の対人関係」滝浦静雄ほか訳『眼と精神』みすず書房.）ほか.

界と共生して「共通世界」をつくり、「ことば」で語りかけながら生きる知恵を授けていく。そして子どもは意味世界を表現する「ことば」を身体で感じ取り、母語を体系的に学びとっていくのである。

「ことば」は、母語による文化の住人である養育者と、「前言語」段階にある子どもとのコミュニケーションによってつくりだされた「共通世界」のなかから生まれてくる。「ことば」とは、子ども一人のなかで孤独に生み出されるものではない。

それでは、ヘレン・ケラーは実際のところ、どのような状況のなかで「ことば」に目覚めたのだろうか。

ヘレン・ケラーが食卓で反抗的な態度をとった翌日、サリバン先生は彼女がナプキンをつけて食卓につくかどうかで状態を見極めようと考えた。すると、彼女はナプキンをつけてはいるが、自分と二人だけで過ごしていたときとは違うつけ方をしている。このことは、言語を習得する以前のヘレン・ケラーが、すでにシンボリックな意味をもつ行動をとっていたことを意味している。

そしてこの後、部屋にいた二人はスイカズラのいい香りに気づき、その香りがどこから来るのか確かめにいこう、と同意した。このとき、二人はすでに、共通のあるものを一緒に見ようという姿勢がとれていたのである。ヘレン・ケラーは、「ことば」をまだ使えない。しかし、彼女は「前言語」、言い換えてみれば「ことば以前のことば」によってコミュニケーションを成立させ、二人の間には共通する世界が生み出されていた。

その後、ヘレン・ケラーとサリバン先生がスイカズラを探して歩いていると、どこかからポンプの音が聞こえてくる。二人はそれを見に行こうと再び同意し、今度はポンプを探すために歩き始めた。そして、二人で見つけたポンプから流れ出る水と、それに合わせてサリバン先生がつづった指文字をきっかけに、ヘレン・ケラーは「ウォーター」ということばを理解したのである。

ヘレン・ケラーのことばは、サリバン先生との「共通世界」のなかから生まれた。ここまでの一連の流れからは、二人が作り出している「共通世界」の落ち着いた雰囲気が感じられる。そのような世界のなかで二人が共生していなければ、ヘレン・ケラーがことばを理解するということは起きなかったはずだ。

「ことば」は、ヘレン・ケラーだけで孤独に生みだされたのではない。すでに構造化された母語の意味世界と、そしてその文化の住人であるサリバン先生との「共通世界」における共同行為のなかから生まれたのである。

他者と通じあうことへの喜び

ヘレン・ケラーの例が示すように、人間はたったひとりで外界に立ち向かい、さまざまな探索や実験や冒険を孤独のうちにくり返しながら世界を認識していくのではない。人は、驚きをもって世界を発見していく。しかし、その発見のルールに習熟して腕を磨くよりは、その感動を他者と分かちあうことのほうに、はるかに関心をもつ。

人間は、興味ある光景を長続きさせる手続きを、ひとりでこつこつと工夫するよりは、それを他者と共に眺めたいと願うのである。人間の関心事は、人との関係づけのほうにある。人の世界のなかへ、物の世界が組みこまれていくのだ。

かつて、人は「個」として生まれ、徐々に社会化されることで他者と交信できるようになる、と考えられていた。だが最近の研究によると、人ははじめから「共同体」のなかに生まれ、「人と通じあうこと」そのものを喜びとする存在であることがわかってきた。たとえば浜田寿美男は、人間は「個体」としてではなく、「関係」のなかで自分というものができてくる、と論じている[4]。その思想は発達学のなかでは少数派に属す

4　浜田寿美男，1992，『「私」というもののなりたち──自我形成論のこころみ』ミ

るものだが、自分というものが他人なしではありえない、という観点は重要なものだ。

人間には、生まれたときに母子の渾然一体となった状態がある。このとき、母の感動と赤子の感動は一緒であり、同じものであるところからはじまっている。このとき、母が何かを指さすと、赤子もそれを共有して見ようとする。これは「共同注視（joint attention）」と呼ばれる行動であり、二人にとって喜びをともなうものである。人間には、感動を共有できる嬉しさ、喜びが根本に存在しているのだ。

母親はまた別のものを見かけると、一緒に見ようと子どもに働きかける。それは、意図的にコミュニケーションを行おうとしての行為ではない。母は、自分の喜びや感動を共有しようと自然に働きかける。そして、子どもは同じ方向を見れば母が喜ぶことがわかっているから、一緒に何かをしようとする。もし、母が赤子を冷たく扱っていれば、この「共同注視」は発生しない。

やがて、子どもは徐々に、別のものを見たり聞いたりしたときに、それを母と共有したい、と感じるようになっていく。そして子どもが同じものを見ようと母に働きかけると、母はそれを子どもと共に喜ぶ。そして、子どもは母親が共に喜んでくれることが嬉しいらしい。

母の喜びに子が喜び、子の喜びに母が喜ぶ。このことは、人間が感動を他者とわかちあおうとすることの根本にあるといえるだろう。

また新生児は、乳を飲みに移動することも、親の身体にしがみつくこともできない。しかし、外界のある種の情報を知覚し、「共鳴する」能力、とりわけ「人と交流する」能力はきわめて優れている。そのなかでも、特に「惹きこみ（entrainment）」という現象は、大きな注目を集めてきた。

人間のコミュニケーションには、身体から発せられる声や身体の動き

ネルヴァ書房．ほか．

といったリズムが大きな役割を果たしている。そして「惹きこみ」とは、会話を交わしているとき、話し手と聞き手とが、お互いに相手の身体の動きやことばに「惹きこま」れて、無意識のうちに「同調的」で、リズミカルな動きをしていることをいう。

W・S・コンドン（Condon, W. S.）は、二人の人間が会話をしている場面を、超低速で撮影したフィルムによって観察した[5]。その際、しゃべっている人間の全身の動きを一コマごとに分析してみると、話し手の身体の各部位（頭、目、肘、手首、指など）が、音声の推移と完全に合致しながら、0.08秒から0.12秒という微細なレベルで同期して動くことを発見した。ところが驚いたことに、さらに聞き手の身体の動きも分析してみると、それは話し手の動きと、まるで鏡に向かいあうように同期していたのである。

つまり、聞き手と話し手は、二人ともことばの調子にあわせて身体を動かしており、まるである種のダンスを踊っているかのようだという。たとえば聞き手は、話の内容には関係なく、音節が変わるたびに、それに応じて身体の動きを止めたり、体重を交互に片足に移したり、手足を動かしたり、身体の部分を微妙に運動させて調子をあわせる。そして、コンドンは、これを「相互シンクロニー（相互行為的な同期、interactional synchrony）」と呼んだのである。

コミュニケーションを成立させる「身体的コミュニケーション」

興味深いのは、このような「相互シンクロニー」の現象が、生後わずか20分の新生児にも見られ、しかも、自閉症など一部のコミュニケーション障害を例外とすれば、同期のリズムが崩れることはきわめて稀で

5　Condon, W. S., 1970, “Method of micro-analysis of sound films of behavior,” *Behavior Research Methods and Instrumentation*, 2: 51-54.

あったという。

コンドンは、複数の参加者（participants）がこのような「相互シンクロニー」の状態に入ることを「惹きこまれ（乗りこみ、entrainment）」と名づけた。

この現象について、尼ヶ崎彬は著書『ことばと身体』[6]において、次のように述べている。

相互シンクロニー現象は、まさに私たちの身体が話相手の身体の動きをなぞることによってその話を身体レベルから理解しているのだということを示しているだろう。しかもこの同期は、相手の動きを見て自分の身体を操作するのではなく、相互的コミュニケーション活動の流れに導かれる形で、全く意識することなく呼応する身体によって行われるのである。

この呼応がうまくゆかず、身体の「なぞり」が中断されるとき、私たちは多分会話に「のれない」のを感ずるだろう。一方がのれないと、相手も（自己陶酔的独演タイプでなければ）ふつうはのれなくなる。会話は二人で一つの場を形成し、ひとつの行為を遂行する相互主観的活動だからである。場は「しらける」ことになるだろう（テキストに依拠した教室での英会話の真似ごとの白々しさは、自分の台詞に自分がのれないためかもしれない）。

コミュニケーションの場が成立しているときは、しばしばそこは外界から切り離され、「自分たちだけの世界」が成立しているように感じられる。私たちはたしかに何かを共有しているのを感じ、話題についての理解だけでなく、同じ気分を分かちあう。笑いは確実に伝染する。私たちは心身の全体で互いに同期しているからである。コンドンがフィルムに見た身体の動きは、この心身活動の表面にす

6 尼ヶ崎彬, 1990年,『ことばと身体』勁草書房.

ぎないだろう。私たちは相手の言葉を「頭でわかる」だけでなく、身体で理解しているのである。この身体的レベルでの理解を支えているのは、全身の「なぞり」活動にほかなるまい。

適切にもコンドンはこの相互活動を「コミュニケーション・ダンス」と呼んだ。まさに対話は相手の動きに呼応しつつ、個人の動きを超えたリズムに乗り、さらにこの「のり」を展開すべく新たなステップを相手に呼びかけてゆく運動である。意識の上で明滅する「言葉の意味」とは、身体の意味生成ダンスの、水面上に現れた氷山の一角にすぎない。

(pp.194-195)

親子関係でも、この「惹き込み」は行われている。赤子が母から乳を飲むとき、ある一定の時間が経つと飲むのをやめ、一休みする。そのとき母親は赤子の体を揺らしながら話しかけ、子どもは母親が揺らす動きに反応している。やがて子どもが再び乳を吸いだすと、母親は揺らすのをやめてじっとするようになる。このような動きは哺乳類に共通するもので、本能的なものであると考えられる。人間同士の相互作用（interaction）の原型が、ここで作られているといえるだろう。

かくてコミュニケーションは、客体的な情報の伝達だけではなく、他者との相互理解であって、結局は心身の総合的な活動であると言うことができる。それは、ふたりの人間の頭をコードで結ぶことではない。それよりも、ふたりの人間の身体が「ひとつのダンス」を踊ることである。そのためには、ふたりは互いに相手を「なぞり」つつ、しだいに呼吸をあわせていき、ついにはふたつのそれぞれの肉体が、ひとつの踊る身体のふたつの部分として感じられるようになる必要がある。

「ことば」は「獲得する」ものではない

私たちは生まれながらにして、他者と共に生きている。人は生まれたときから、他者と共に営む協同的な活動に巻きこまれているのだ。そして、他者とのコミュニケーションが成功し、相互理解が実現するためには、ことばのやりとりの水面下で、互いに相手の身体を「なぞり」、その態勢（意味）を身体で理解しなくてはならないのである。「ことば」は、その活動の表層に突出した部分でしかない。そして、「ことば」が生まれるためには、自分の見たもの、体験したものを他者に伝えたい、という強力な欲求と、それを支える人間関係が必要となる。

私たちは、決して単なる音声のシャワーを浴びてことばを吸収してきたわけではない。ましてや、単に「理解可能な（comprehensible）」インプットを与えられて、ことばを「獲得し」てきたのでもない。人は、万人向きの一般的なことばではなく、自分の興味や行動にあわせて語られる「自分のための密度の高い」ことばを聞いて育ってきたのである。

大人は、子どもにあわせて語りかける。子どもも、自然に、それに調子をあわせて片言を発する。会話やダイヤローグは、本来的には、話し手と聞き手との共同作業にほかならないのである。

このように、「ことば」とは、人と人とが体験を共同化し、共に語り合うものだ。ことばは、人が外界とわたりあい、「獲得する」ものではない。むしろ「ことば」とは、人と人とが互いに同調し、共鳴し、共通世界をつくる共同行為としての「前言語コミュニケーション」、つまり「ことばの前のことば」から「生まれる」ものである。

第2節　「共同体」のなかの「本物性」

言語の習得と「本物性」

また、第二言語習得理論の分野では、従来から、言語の習得のためには「真似」ではなく「本物の（authentic）」やりとり、あるいは「本物性（authenticity）」が必要である、と言われてきた。「本物性」とは、具体的にはどのようなもので、どのような状況で現れるものなのだろうか。

学校における「学習」は、世の中に出て役に立つかどうかはわからないものを、ただその学年で学ぶことが決められているからと、世の中の第一線でそれを駆使しているわけでもない先生から「教えこまれる」ものだ。しかし、それは「擬似的な」、「架空の」世界でしかない。その延長上では、多くの者が、世の中に出てそれを即座に活かしていけるというようにはなっていない。一方で、「本物性」というならネイティブ・スピーカーの英語に触れさせればよい、などということにもなりかねない。

この点については、言語学の分野などでも十年来、検討が行われてきた。これは私自身も問題提起を行ってきたことだが、いかに擬似的な場面を想定して反復練習を積み重ねても、多くの人はその表現を使えるようにはならない。すなわち、実際の場面ではそれが使えない、ということになってしまう。この問題は、認知科学が教育領域にもたらした成果のひとつである「転移（transfer）」という概念に関係するものだ。

「転移」とは、「前に行った学習が、後の学習に影響を及ぼすこと」を指す。そして、前の学習によって後の学習が促進されることを「正の転移」、妨害されることを「負の転移」という。「正の転移」とは、いわゆる「応用がきく」ことであり、スケートを習うことでスキーの習得が容易になったり、英語の学習がフランス語の学習によい影響を与えたりする場合が該当する。もともと行動主義心理学のもとでは、学習に「転移」が生じるということは、単に形成された行動様式が、別の機会に発現（＝再現）することであって、それ自体は「当然のこと」とされていた。

ところで、19世紀までのヨーロッパの学校教育では、ラテン語やユークリッド幾何学がカリキュラムのなかで大きな比重を占めていた。これらは、大人になってから直接的に仕事や生活に役立つわけではないが、学習を通じて頭が鍛えられて思考力や判断力が身につくと考えられていたのである。こうした考え方は「形式陶冶」と呼ばれる。一方、教育では直接使える知識・技能を教えるべきである、という考え方を「実質陶冶」と呼ぶ。

この2つの立場に基づく論争の歴史は古く、心理学は、これを学習の「転移」の問題として、様々な立場から関わってきた。そして行動主義の時代の学習心理学者、E・L・ソーンダイク（Thorndike, E. L.）は、アメリカ政府の研究の要請を受け、知的課題における「転移」がきわめて生じにくいことをすでに報告していた[7]。また、その後の実験認知心理学の研究によって、この「転移」を実験的に起こさせることは、きわめて難しいということが明らかにされている。

英会話の教室で、“Can you make yourself available at 10:00 tomorrow morning?”（明朝10時にご都合をつけていただけますか？）という意味の表現形式を学習したとしよう。生徒はそこで“make oneself available at...”、“available”の意味や使い方の解説を読んだり、説明を受けたり、場合によってはネイティブ・スピーカーの教師がその表現を使う様子をくり返し見る。そして、自分でも声を出して反復し、しまいには空で言えるようになるまで練習を続ける。さらに、同様の擬似場面で、覚えた表現形式を「再現」してみる。

---

7 Thorndike, E. L. & Woodworth, R. S., 1901, “The influence of improvement in one mental function upon the efficiency of other function (I),” *Psychological Review*, 8: 247-261.

以上は、よく見かける英会話学習の光景である。これは、“A” という「課題場面（ないしは文脈)」で、“X” という知識を獲得し、その「知識」“X” を使えば、“B” という新しい場面や「本物の（authentic)」場面での課題解決が容易になるはずだ、という実験状況にある。実験者ないし教師は当然、学習者が知識 “X” を新しい場面で使ってくれるものと期待する。

ところが学習者は、この知識をまったく利用しようとしない。あるいは、利用できない。多くの学習者は、新しい課題場面 “B” は、まったく新しい場面として、「それなり」に対応・対処してしまう。実験者や教師がいくら論理的に「“A” における知識 “X” は、“B” において活用される(転移する）べきだ」と考えても、学習者に “A” と “B” とが「別の話」としてしか理解されなければ、知識 “X” はまったく活用できないのである。

しかし、これは学校時代の「学習」をめぐって、誰しもがいやというほど経験してきたことだろう。自分の「学習」してきたことが、教科のいかんを問わず学校外の「文脈」では活かせない、「いざ」というときに使えない。「英語」は、その最たるものといえようか。

そもそも、抽象的・形式的な概念を学習することで、それを様々な状況に当てはめて考えられるのではないか、という仮定が誤っているのである。そして、英語の文型・文法を習得し、単語の意味とスペリングを覚え、発音・リズム・イントネーション・慣用語句を習い、表現の場面について学習し……というようにパーツとしての要素知識をそろえていくと、後に、それらを組み合わせて使い、新しい困難な課題が解決できるようになる、つまり「英語ができるようになる」という期待も、幻想にすぎない。

行動主義的学習観への批判

かつて、抽象化され、パッケージ化されて、いかなる所でもそれを取り出すことができ、どこでも通用するような「知識」を習得するのが学習である、という学習観が推し進められた時代がある。それは日本の高度経済成長期の1960年代後半から70年代であり、このころ、「行動主義心理学」のモデルに従って構成されたプログラム学習やティーチング・マシーンが流行した。

これらは、確実に、効率的に、望ましい行動の反応特性を学習者に獲得させ、パッケージ化した知識を身につけさせることを主眼におく。そのような発想により、「学習」とは「望ましい行動の確実な形成」と位置づけられていたのである。この時代の学習論は、なんらかの原則に従えば、どのような内容でも着実に身につけさせる理論である、とされていた。

したがって教育とは、まず生徒が達成すべき行動（目標行動）を明確に打ち立てて、あとは、そこに近づけるために、学習論から導かれた「最適な教え方」によって、効率よく、確実に本人の身につけさせてゆくものである、と考えられていた。このような「プログラム学習」型の考え方は、現在でも、学習塾や個人や家庭にそれなりに受け入れられているCAI（教材）などに大きく影響をあたえている。

簡単な問題をこきざみにあたえて、正答させ、そのつど「正答です」とか「よくできました」というフィードバックをあたえていくと、どのような複雑な知識・技能でも、どの子どもにも確実に「身につけさせる」ことができる。このような「即時フィードバックの原理」は、現在でも、ドリル学習の基礎原理であり、最近はコンピュータ利用の学習支援システムにも、大幅に採り上げられている。

こうした「基礎・基本」を身につける手段には、必ずといってよいほど「やさしい問題から、順に難しい問題に進む」という、階段を上がるように一歩一歩、練習問題を解いていくコースが設定される。また、それぞれの段階で強調されるのが「反復練習」である。そして、このようにして獲得された新しい反応様式が、新しい課題状況でも発揮されることによって、基礎技能が「活用」できるようになるのだ、とされてきた。

「学習」というものが、このように「あとで役立つ」行動様式の積み重ねで構成される、という考え方を支えてきたのが行動主義心理学であった。

この「脱文脈化」された知識習得としての「学習」の時代（1966～1970年代）に、アメリカでは「認知心理学」が、この「行動主義」的学習観に対する徹底的な批判をはじめた。おりしも1960年頃から台頭してきた認知心理学だが、彼らが行った批判の最大のポイントは、行動主義が学習者にとっての「意味」を無視していたことにある。

アメリカ新構造言語学は、言語から「意味」を排除して、言語（外国語）教育に「オーディオ・リンガル」アプローチを導入した。だが学習者、対話者はつねに「意味」を求めており、「意味」のまとまりを作りだそうとしている。私たちは、ただ単に受け身で「与えられる刺激（stimulus）」に対して、「正しいとされる反応（response）」を連合（association）させているのではない。自らの予想や仮説にあう情報を求めているのであり、概念として成立するものを探索しているのである。

一方、同じ頃に、言語学の分野では、N・チョムスキー（Chomsky, N.）が変形生成文法を提唱した[8]。彼が論証したのは、そもそも人間の言語獲得が「行動主義的学習」の積み上げでは構成されえないということである。

チョムスキーは、自然言語が、本質的に「文脈依存の、入れ子型の階層的な構造をもった、無限に多様な『正しい文』を生成する文法によっ

---

8 Chomsky, N., 1965, *Aspects of the Theory of Syntax*, MIT Press.（安井稔訳, 1970年,『文法理論の諸相』研究社.）ほか.

て統制された」ものであることを明らかにした。ここから言語の心理学が発展し、さらには、あらゆる人間の認識（cognition）が、本来的に「文脈依存」であり、かつ「階層的」にして「生成的」な構成体である、とする考え方が徐々に承認されていった。

さて、1960年代から1970年代初頭ごろまでの認知心理学は、行動主義学習観と一線を引く意味でも、「行動科学」の手垢にまみれた「学習」という言葉を使わず、その代わりに「知識獲得」という用語を使っていた。

彼らは、言語獲得、問題解決の熟達化、数学や物理のような特定の概念の獲得というように「学習」一般を論じるよりも、むしろ、個々の認知内容に即して「学習」現象を解明していった。このことは、学校を通して形成される学習観からすると、きわめて重要な問題提起であった。

すなわち、「学習」という現象を一般的に論じる説明原理は存在しない、ということが明らかになったのである。かくして、「学習」は「知識獲得」にとってかわられ、そして、いわゆる「知識」が強調されるに至った。

ところで、認知心理学では、どのような視点に立って、人間の「理解」と「学習」を考えようとしてきたのだろうか。

それは一言でいえば、「理解する側」、「分かろうとする側」から「問題」を考える、ということになろうか。学習者の内部で、どのような「理解」の活動と「知識」の形成が行われているのか、という問題を解明していくこと。それが認知心理学の主たる課題であって、行動主義心理学者のとったような「人間の行動や学習を、アメとムチという強化の方法で、『外側』から自由に操れる」といった考え方はとらない。あるいは、教師が教えたことが、そのまま、子どものなかに直接「知識」として伝達され、形成されていく、という期待も、あくまでも希望的なものとしてしか考えない。

これは、認知心理学が、「学び手の主体的な活動が、最終的に『理解』と『知識』の成立を決定する」、と考えるからである。したがって、子どもの主体的な学びや子どもの側の変数を無視して、「教師の力量だけで、教育が成り立つ」とか、「教材や教育内容で、すべての教育活動が語れる」というような、「教えこみ万能」の考え方とは、鋭く対立する。

人はどのようにものを「理解」するか

さて、人間はものを「理解」したり、「おぼえ」たり、「記憶」したり、つまり「知識」をもつとき、どのようにしているのだろうか。認知心理学によれば、人間は自分にとって意味のないもの、関係のないもの、前後の脈絡のないものを「理解」したり「記憶」したり、「丸暗記」するということが、もともとかなり苦手である。

私たちは、ものに対して、なんらかの「意味づけ」をしたり、「既有知識（prior knowledge）」の関連性をつけたり、自分流に「再解釈」したり、「再構成」したりして、はじめて自分のなかに「取り込む」ことが可能となる。人間が「獲得」する「知識」というものは、バラバラに切り離されたものではなく、自分と物事や人との関連であり、それ自体がネットワークにほかならないのである。

かくして、認知科学は、人間の知の営みの根源としての「知識」の役割を徐々に明らかにしていった。そして「知識獲得」としての学習が、実際には、知識構造に即した、実に多様で複雑な「情報処理過程」であることを明らかにした。

さらに認知科学は、人間の「知識獲得」が成立するには、学習者の側の積極的な「意味づけ」活動が必要であることを明らかにした。つまり「知識」は、それを受け入れる「スキーマ（枠組、schema）」を学習者が適切に構成しなければ、受け入れることができない。いかなる「知識」も、その文脈との関連でしか理解できないし、獲得できないのである。

こうして、学び手、ないしは「理解」をしよう（＝「分かろう」）としている当事者、つまり学習者の主体的な活動の重要性を端的に示してくれたのが「スキーマ理論」であった。

「スキーマ理論」の真骨頂は、たとえば、文章の「理解」は、文章の単なる「引き写し」で成立するものではない、とする点にある。「読み」というものは、字面を目で追っていけば、機械的に成立するようなものではない。このことを主張することから、「文章理解」の研究が始まった。そして、読み手が適切な「既有知識」を使って、文章材料にはたらきかけ、まとまりのある「解釈」を「再構成」すること、これが「文章理解」の本質である、としたのである。彼らは、「既有知識」も含めて、次の理解活動に利用していく知識の単位、ないしは構造化された知識の集合を「スキーマ」と呼んだ。

「スキーマ理論」の考え方は、文章理解ばかりでなく、「知覚」から「問題解決」にいたるまで、広く人間の「知的活動」を理解していくうえでの基本的な概念枠を提供したものである。そこでは、「どのような知識をもっているのか」が理解の方向を大きく決めている、ということが強調されている。

たとえば、一見、「知識」などが関与する余地などなく、ただ与えられた刺激を受けとめるだけでよさそうに見える「見え」(視覚)にも、同様のことが実証されている。その刺激を「解釈」するための「知識」(=スキーマ)として、人がどのようなものをもっているかで、「見え」は決定されていくのである。

さらに、J・ブランスフォード(Bransford, J.)らによる有名な研究は、文章を読むことについてのスキーマの重要性を示している[9]。この研究によれば、何が書かれているのか、その全体の文脈がつかみにくい文章を読ませたときに、挿絵や題目のような「文脈的スキーマ」が活性化されるような情報が付加されると、「意味理解」は促進され、高められる。

---

9 Bransford, J., & Johnson, M., 1972, “Conceptual prerequisites for understanding,” *Journal of Verbal Learning and Verbal Behavior,* 11: 717-726.

「文章を理解する」ということ

以下に掲載する文章は、ブランスフォードらが実験に用いた文章の日本語訳を材料として、私の主催するワーク・ショップの参加者と、その親たちのために書かれたものである。内容は「文章を理解する」ということについて書かれており、このワーク・ショップへの参加者は、小・中・高校生、大学生や、そのほか幅広い年齢層の人びとをふくんでいる。

＜「文章を理解する」ということ——文章を理解するためには、知識が必要である＞

次の文章を読んでみてください。具体的な状況が、思い浮かべられるでしょうか。

もし風船が破裂したら、音が届かなくなってしまう。なにしろお目あての階から、すべてはあまりにも遠すぎるから。たいていのビルは、十分に遮蔽されていることが多いから、窓が閉まっていたら、音は届かない。全体の操作は、安定した電気の流れに依存しているので、電線が途中で切れてしまったら、これもトラブルの原因になる。もちろん、その男は叫ぶこともできよう。しかし、人間の声はそんなに遠くまで届くほど強くない。もう一つトラブルのもとになるのは、楽器の弦が切れるかもしれない、ということだ。そのときには、メッセージに相伴うものは、何もないことになる。距離が近いことが最もよいのは、明らかである。そうなれば、やっかいな問題は起こらないだろう。直接会いさえすれば、問題が起こるということはほとんどないだろう。

全体の文章から、何らかの状況が想像できたでしょうか。個々の単語や文の意味がわかるのに、なんのことかさっぱりわからない、という人が多いでしょう。もちろん、これは実験のための材料として、わざとわかりにくくしてあります。

しかし、一読しただけでは、なんのことかわからない文章でも、あとに出てくる挿絵を見てから、この文章を読んでいただいたら、いちいち納得できることと思います。何か不自然な文章のことばじりは、あまり気にならなくなり、絵と文章と情報が一体となって、この文章で言われている状況が、イメージされるのではないでしょうか。

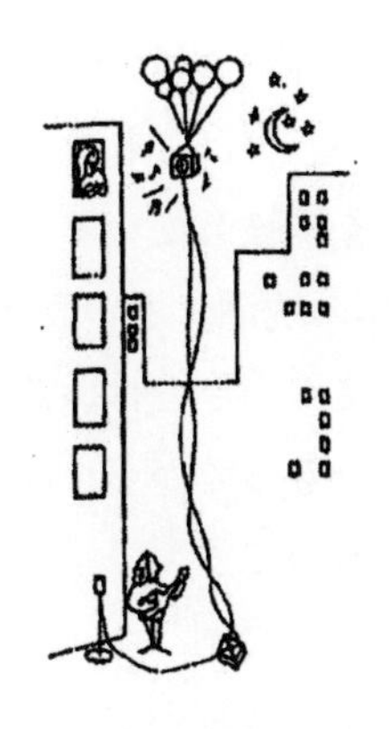

「風船」解釈の手掛かり図（Bransford, J., & Johnson, M., 1972）

さらにもう一つ、日常よく経験する作業について、書いた文章を読んでみていただきます。

手続きは、じつに簡単である。まず、ものをいくつかの山に分ける。もちろん全体の量によっては、一山でもよろしい。もし、必要なものがなくて、他の場所にとりに行かねばならないとしたら、それは、次の段階である。肝心なのは、一度にあまりたくさんやりすぎないことだ。一度にたくさんやりすぎるより、むしろ、少なすぎるくらいの方がよい。この注意が大事ということは、すぐにはわからないかもしれない。しかし、やがてトラブルが起こってくるし、お金も余分にかかってしまうことになる。はじめの失敗は、全体の手順を狂わせてしまう。近い将来、この作業の必要性がなくなることは、予測しがたいし、誰も、そう予言することはできないであろう。次に、それを決まった場所にしまう。作業の終わったものは、再び使用され、そして再び同じ手順が繰り返されることになる。やっかいなことだが、ともかく、それは人生の一部なのである。

この文章をよんでも、具体的な状況をイメージするのが、難しかったのではないでしょうか。実はこれは、「衣類の洗濯」について書いたものです。日常、よく経験しているのに、わかるとは限らないのです。もちろん、「衣類の洗濯」という題を、最初に読んでいれば、こんなことにはなりません。ひとは、これが何について書かれた文章か、というイメージをもってから、文章を、そのイメージと関連づけながら、読んでいるのです。

＜すべての教科は、文章で解説がなされている＞

社会科、理科、数学（文章題･解説）、英語、国語、その他の教科は、すべて文章で書かれています。そして、文章を読むときに、書き手よりも、むしろ読み手に主導権があります。読み手の知識や関心、それまでに蓄えた経験いかんで、深い意味が汲みとられ、構成されるかどうかが決まるのです。

読み手の知識が豊かでないと、あるいは、読み手が、たくさん知識をもっていたとしても、文章に関連づけて、その知識を呼び出すことがことができなければ、いくら読んでも「わかった」とか、「納得できた」というレベルまでにはいきません。

また、読み手の知識の中味がどのようなものかによって、構成される意味は、まったく異なってきます。同じ文章が、読み手次第で、伝わり方が違うというのも、私たちがよく経験することであります。

以上の引用からも推測できるが、「スキーマ」は、情報の「選択」(どこに注目するか)、「解釈」(どう理解するか)、「結論」(どうまとめるか)の3つの機能を担っていることが明らかになっている。認知心理学が「既有知識」の存在と、その役割の大きさについて解明してくれた功績は、計り知れないものがある。

どうすれば「転移」が起きるのか

ここまで、「知識」や「理解」について、認知科学の見解を参考としながら整理してきた。それでは、これらをふまえた上で、実際に学習の「転移」が起こるためには何が必要なのか考えてみたい。

まず求められるのは、「巻き込み(involvement)」である。「巻き込み」とは、人間がその場に居つづけたい、そのままいたい、あるいは直観的にすごい、と思うところで生じるものだ。

人間がある場所に「巻きこま」れ、そこに参加し、関わろうとすることが、学習には不可欠である。かつて佐伯胖は、L・S・ヴィゴツキー(Vygotsky, L. S.)を援用しながら、「理解に先行するものは参加である」と論じた[10]。人間に、そこに関わろう、参加しようとする気持ち、あるいは「巻き込み」がなければ、学習の理解は始まらない。

しかし同時に、人間はどうすれば参加することができるのか、という問題がでてくる。人間は、気がついたら何かに巻き込まれて参加していた、気がついたらここにいた、という部分を常にもっているものだ。そ

---

10 佐伯胖, 1984,『わかり方の根源』小学館.

して発端はどうであれ、そこに何かを直観的に感じとって、積極的に関わってみたり、そうしなかったりしている。英語の勉強をするにしても、放っておいても学習をするような「勉強好き」な子など、めったにいるものではない。それでは、ある場に関わろう、参加しようという気持ちは、はたしてどこから生まれてくるものなのか。

教育に携わる人は、この問題について、学習者が積極的に学ぶような「動機づけ」の方法を、様々に考えだしてきた。最も代表的な「動機づけ」は、「外発的動機づけ」と「内発的動機づけ」とに大別することができる。

「外発的動機づけ」は、「ほめる－しかる」という素朴な方法から、点数・偏差値を他者や過去の自分と競わせるやり方、進学先・就職先・経済的境遇や社会的地位などに関して学習することの（個人的な）メリットとデメリットを示すやり方まで、その形態は多種多様である。

日本の学校教育制度においては、「立身出世」のために学校での「学習」が必要である、と明治政府が最初に説いて以来、教師も親も、基本的にこのような種類の「動機づけ」によって、人びとの学習意欲を引きだそうとしてきたのだ。しかし、この「賞罰」の利用は、学習者の外側から学習をコントロールしてしまっている点で、必ずしも評判はよくない。

「外発的動機づけ」にかわって新たに考えだされたのが、学習者の内側から動機を起こさせるやり方である。そこではふつう、学習者が学習を楽しむことや、学習によって達成感や成功感、有能感を味わうことや、学習する内容がもつ社会的有用性（学習した知識が、現実の社会のなかでどのように役に立つか）を知ることや、学習内容を学習者自身の将来の目標や夢と関係づけること、などが学習の動機づけのためには大切であるとされた。

ところで、「外発的」なものであれ「内発的」なものであれ、このような「動機づけ」の理論にはどこか奇妙なところがある。露骨な表現にすれば、胡散臭いところがあるといえる。

「動機づけ」は、学習者の外側から学習が誘い出される場合にせよ、学習者自身が自ら学習を呼び起こす場合にせよ、学習をさせようという意図をもって、学習者以外の誰かが何ごとかを仕組むことを必要とする。すなわち、「動機づけ」ようとする意図と、その実現を目的として考案された特殊な「教育装置」を必要とするわけだ。

しかしながら、人類の長い歴史においては、つまり近代の学校教育制度が成立する以前の、人類史の圧倒的に長い段階においては、必ずしもそうした意図や装置がないにもかかわらず、人びとは「学ん」できた、という事実がある。そして、そのような人びとは今日でも、数こそ多くはないかもしれないが、間違いなく存在する。

お金や資格といったメリットとは無関係に、自らのテーマをもって、退職後や在職中に、あるいは主婦として、大学や生涯教育関係の施設、自宅で学ぶ人びと。お金や地位といったメリットを求める人を軽蔑しつつ、仕事の質の改良に余念のない職人。血の滲むような練習に励む音楽家やスポーツ選手。将来の目標など立てようもなく、自分の生みだす成果がどのような社会的有用性をもっているのかもわからないのに、仕事に全身全霊を傾ける哲学者や数学者、作家、画家。「動機づけ」の理論に対するこうした反例は、枚挙にいとまがない。

だが、いったいなぜ、これらの人びとは「動機づけ」がないにもかかわらず、自ら進んで「学ぶ」のだろうか。

この問いに対するここでの答えは、一定の条件が備われば「学び」は自然に生まれる、というものである。いいかえれば、その「一定の条件」がなければ「学び」は自然に生まれず、ことさらに「動機づけ」を必要とする、ということにほかならない。

自生する「学び」と動機づけの必要な「学習」

ここで注目すべきは、伝統的な社会の「学び」は「自生」するものだが、「近代・学校」に採用されて、後に社会全体に広がっていった「学習」は、「動機づけ」がなければ生じえない、ということなのだ。

近代教育や近代学校が誕生する以前のはるかに長い期間、人間は家族や地域共同体の人びとと共に生活したり仕事をするなかで、知識や技術を習得し、知恵を身につけ、その人らしい性格を築き上げてきた。そこでは、自分なりに先人を「模倣」し、仕事にゆっくりと慣れ親しんでいくこと（「習熟」すること）が「学ぶ」ということの基本原則であったわけだ。

したがって、「学ぶ」とは、一言でいえば「模倣」することにほかならない。日本語の「まなぶ」は、「まねぶ」に由来している。「学ぶ」とは、先人（親・親方・師匠など）のふるまいや仕事を手本にしながら、新しい知識や技術を、先人による具体的な指図はほとんどなされないなかで、自分自身で編みだしていくことである。

「模倣」は見よう見まねから始まるが、それは単に手本と同じ行動をしたり、同じことばをもつことではない。「手本をまねる」とは、それを独自の工夫によって変形すること、つまりそこに「模倣」する者自身が独自の「意味づけ」をすることなのだ。「模倣」には自分なりのやり方が貫かれるし、できあがったものにも、多少なりともその人の「独自性」が反映されているといえるだろう。

伝統的な「学び」にある、「真似をする」、「型から入る」「反復する」ことは、創造性や個性や精神的自由と両立するのである。そこでは、「創造性・個性・自由 VS 規則・秩序・ルール」といった近代教育に特有の二項対立の構図は成り立たない。したがって人間には、「模倣」するなかで自分なりの世界の見方が築かれるし、同時に、自分や自分の仕事に対して誇りをもつ、独特の個性をもった人格ができあがることになる。かつての漁師、農民、あるいは職人は、まさにそうした人格の典型であるといえる。

ところで、いったいなぜ人は、誰からも「動機づけ」されないにもかかわらず、自ら先人を「模倣」しようなどという気になるのだろうか。それは、先人の仕事やふるまいが、その人にとって単なる「活動」ではなく、「実践」であるからなのだ。もう少し具体的に言えば、その人にとって先人の活動は「よき活動」であるがゆえに、「自分もそうなりたい」と思わせるモデルとなるからにほかならない。

ここで、「実践」とは何かを考えてみよう。

個々の「活動」や「行動」を、もっぱら「観察可能」「計測可能」な特徴によって識別するのが当たり前になっている現代人にはなかなか理解しがたいかもしれないが、「活動」には、それ自身の内容に善を内属させている「活動」がある。そして、様々な「活動」は、その善の内容によって区別・分類することができるのである。それ自身の内部に善を内属させている活動を、ここでは「実践」と呼ぶことにする。

したがって「実践」とは、おのおのの「実践」に内在するそれ固有の善さ（「内的善」）の達成を目指して行われる、あるいはその「内的善」に照らして判定される「卓越性」（「よりよき・よりすぐれた達成」）を目指して行われる、目的と意図をもった「活動」のことにほかならない。

具体的に言うと、「切る」「結ぶ」「織る」といった手わざは、「うまく切る」「上手に結ぶ」といった言い方が可能であるから、「実践」であるとみなせる。しかし、「ボタンを押す」「スイッチを入れる」などの「活動」は、それ自身の内部に「善さ」の基準をもっていないので、「実践」であるとはいえない。また、料理人が包丁を用いて野菜をみごとな手さばきで切ることは「実践」であるが、包丁を適当に振り回して野菜を単に切断することは「実践」とはいえない。

「学び」は「実践」のなかで行われる

いずれにせよ、ここでいう「実践」は、現代人の私たちになじみ深い「理論と実践」というときの「実践」とは、まったく意味が異なっているということを押さえておく必要がある。したがって、ここでの用法に従えば、「研究」活動や「学問」活動、「発明」「開発」といった活動は、紛うことなき「実践」ということになる。

ここで、「実践」の「内的善」について、若干の補足をしておく。

「内的善」が具体的に何であるかは、直接には知ることができない。それは「実践」を共有する人びとに暗黙の規準として分かちもたれているものなのだ。「内的善」は、個人の頭のなかというよりも、当の「実践」を営んでいる人びとの間に、「言語化」が困難なかたちで埋めこまれている、といった方がいいかもしれない。

したがって、自ら「実践」に参加しなければ、それが何かは、最終的にはわからない。すぐれた「実践」の例示は可能であるから、それに数多くふれたり、それについて他者と会話・議論することによって、自ら「内的善」を構成していく。それが、それについて「知る」ということになる。

この「実践」という概念を用いることによって、「学び」は次のように定義することができるだろう。

「生活」や「仕事」のなかで行われる「学び」とは、単なる「活動」ではなくて、「実践」のなかで行われるものであり、「実践」に従事したり、「実践」の「内的善」を共有する「共同体」(「実践共同体」)に参加する過程に必然的に伴うものが「学び」にほかならない。

ところが、近代学校に採用され、現在、私たち現代人が自明視している「学習」は、原理的にこの「学び」とはまったく異なっている。「実践」と対立する「活動」は、「活動」の外部にある一定の目的(「外的善」)、すなわちお金・富・利益や社会的地位・名誉などの物質的・非物質的な財(goods)を達成するための手段としての目的と意図をもった「活動」であるということになる。

近代の「労働」は、この「外的善」の獲得を第一の目的とし、その達成のための手段として位置づけられた「活動」である。そして、しばしば仕事の「善さ」や「卓越性」を犠牲にしてまでも、自己の財や利益の獲得を目指す。この意味で、まさに「実践」の反対物にほかならない。

一方、近代の「学習」は、この「労働」を模範としている、といわざるをえない。知識や技術の「学習」が、進学・就職・資格取得・地位獲得、もっと近視眼的にはテストの点数や偏差値アップ、単位の取得といった、「学習」の外側にある「目的」を達成する手段として位置づけられているわけだ。

このように、「学習」は、「労働」と同様に、現在の「活動」を将来の目的達成の手段としての位置に見定め、将来のために現在の生を犠牲にする。それゆえに、「学習」や「労働」それ自身は、原理的には「苦役」や「苦痛」以外の何ものでもない。したがって、「学習」は決して自然には起こらないといえる。「学習」を行わせ、継続させるためには、「学習」の外側から、ことさら「動機づけ」することが必要となる。

そして、「学習」の辛さに見合う代償（諸々の物質的・非物質的利益）を提供すること、「競争」や「協同」を導入すること、「学習」の苦痛を軽減したり、逆に「学習」を「楽しい」ものにしたりすること、「達成感」や「成功感」を味わわせること、「学習」する内容を「社会で役に立つ」ものに限定すること、将来の「目標」や「夢」をもたせること、などが「学習」には必要となるのだ。

「実践」のなかの「本物性」

「実践」のなかで行われる「学び」において必要なのは、「動機づけ」ではない。その「実践」をする「共同体」に学習者が参加していくこと、つまり「巻きこま（involvement）」れることである。ここで、先に述べた「本物性」が意味をもつ。人間は、目の前にいる生きたモデルが行う、「内的善」を伴った「実践」に「本物性」を嗅ぎわけたとき、そこに「巻きこま（involvement）」れ、参加しつづけようとする。そして、私たちはそのとき、本物の「世の中につながっている」という感覚で、わくわくしながら、見よう見まねで、「学び」の世界に入っていくのである。実は、ここに「転移」が起きる条件がある。

このことをよく表す用語として、私は「徒弟的学び（apprenticeship learning)」に以前から注目してきた。これは40年くらい前に正式な学術用語として使われだしたものだが、すでに認知科学や学習理論の領域にあっては避けて通ることのできないくらい重要なキーワードとなって、内外の研究者がごく自然にこの用語を使っている。

内的善を伴った実践の「本物性」に基づく「徒弟的学び」が成立するような場では、「師」なり「先人」なりが核となり、そのことに参加する人たちが巻き込まれていく「場」が成立していく。そして、私たちに学びが成立するのは、「師」や「先人」が核となって「学びの共同体（learning community / community of learning)」と呼べる「場」が形成されたときなのだと表現できる。このことについて、もう少し詳しく述べていきたい。

J・レイヴとE・ウェンガー（Lave, J. & Wenger, E.）は、人間がある文化的共同体に実践的に参加し、新参者から古参者へと成長していく過程こそが学習であるとし、このような学習のあり方を「正統的周辺参加 (legitimate peripheral participation, LPP)」と名づけた[11]。「正統的」とは、メンバーとしての関わりが認められた存在であるということであり、そこで新参者は、はじめ小さな役割を与えられ、いわば「周辺的に」参加している。そして、次第にその場でのふるまい方を身につけ、古参者や親方として「十全的参加（full participation)」をするようになっていく。

この「文化的実践への参加の過程」としての学習において、学習者は何を学んでいるのか。それは、人間や道具を含む社会的環境においてのふるまいかた、ということになるのである。

人間が何かを「学ぶ」ことの前提には、「実践」への「参加」がある。そして人間が物事を「理解」するとは、その「実践」、あるいは「実践」

---

11 Lave, J., & Wenger, E., 1991, *Situated Learning: Legitimate peripheral participation*, Cambridge University Press.（佐伯胖訳, 1993年,『状況に埋め込まれた学習——正統的周辺参加』産業図書.）

を行う共同体に「参加」し、その特定の人間の関係のなかで何かを使えたり、そのなかで物事をうまくこなせる、ということなのだ。そのような関係から切り離された場所で、英単語をいくつ覚えた、ある表現を暗記した、ということでは、人間がそれを「理解」したということにはならない。

あるものに関わり、そこで生きていく、それが「学び」や「理解」の根本なのである。先に述べたように、「実践」の「内的善」は、そこに参加する人びとの間にある暗黙の規準である。そこに参加しないで、ものが「わかる」などということは、本来ありえない。

なお、ここで付け加えておく必要があるのが、「実践」が行われる「共同体」には、具体的な関係性が含まれている、ということだ。私たちは本来、具体的な人間と、ものとの関わりのなかで生きている。このときの「人間」とは、人格のない抽象的な「個人」ではない。自分にとっての具体的な人間、父や母、兄姉や祖父母などのことである。

たとえば、外国人力士が所属する相撲部屋では、おかみさんが母親であり、親方は父親として位置づけられている。おかみさんは力士のことを「うちの子」と表現するし、弟子同士も「兄弟弟子」であって、そこには序列も存在している。そういう具体的な人間関係のなかで正しくふるまい、皆がすることを自分もやっていく、ということがきちんとできていなくては、力士は相撲部屋で生きていけないのだ。彼らは日常の姿勢や会話の受け答えも折り目正しいが、相撲だけが強くても、正しいふるまいができないなら意味がない、と日頃から教えられているのだろう。

外国人力士が所属する相撲部屋は、大家族制に似た人間関係が築かれている。それは少し前の日本であれば、それぞれの地域ごとにそれに近い状態が存在していた。そうした共同体には、ある特定の人間同士の具体的な関係が存在する。親がいて、兄姉がいて、親戚がいて、隣近所の人びとがいる。そこでは、単に人が複数いるというわけではなく、人間同士の間で非常に入り組んだ関係が構築されている。ある人間が親に対するとき、兄弟に対するとき、祖父母に対するとき、隣近所に対するときに構築する関係はそれぞれが異なるだけでなく相互に関連し、単体がとる関係としてはたいへん複雑なものとなる。

相撲部屋には、現在もその関係が残り、綿密な文化を形成して、大家族と同じように具体的な人間関係が結ばれている。しかし現在の社会では、このような面が学校をはじめとする多くの場所で解体されてきた。そうした場所には自由で、抽象的な、個体としての「人間」、「個人」がいる。彼らは人間関係の真似ごとをしているだけにすぎず、それは「本物の」関係とはほど遠いものである。抽象的な「個人（individual)」では、共同体は成立しない。具体的な人間同士の間には、序列があり、関係というものがあるのだ。

「十全的参加」の必要性

人間は学校を除けば、依然としてこのような「徒弟的学び」を行っている。それは、そこで生活をし、生きていくためだ。そこには「実践」があり、「正統的周辺参加」がある。そして、人間が属する共同体でまず評価の対象となるのは、そこに関わり続けたいという意志、継続の志である。それさえあれば参加者のなかにはある「理解」が生まれ、最低限度の評価が与えられることになるだろう。

もしこのような意志を持てなければ、ある能力が不足する人間はそこで生きていくことができない。しかし、その場に一体となって、他の人と同じように自分もやっていこうという気持ちがある人間なら、その共同体は彼を排除することもできない。このような姿勢での参加は「十全的参加（full-participation)」と分類される。「十全的参加」ができる人間は、その場で生きていく資格があるということだ。

人間が物事を習得する際、学習スキル的なものの指導の結果には限度がある。また、何かを習得できる人びとの考え方には、共通する特徴を見出すことができる。彼らは、その場の人びとと共に掃除を一所懸命にしたり、先達がどのようなものの考え方をして学んでいるのかを知りたい、と願っている。そして先達の姿を観察し、どうやら優れた人はこのような学び方をしている、自分もそれと同じようにやらなければ、と考えて動くのである。このように考える人びとが行動するうち、その場には共通する習慣やふるまいが生まれ、小さな「文化」と呼べるものが育っていくことになる。

こうした場で起きる「学び」は、個人がどこか学校などへ出かけていって学習スキルを習ってくる、といったものとは性質が大きく異なる。かつての日本の私塾には、このような「学び」を重視する面があった。関西のある私塾には、北海道からでも塾生がやって来て、下宿しながら通っていた。しかし、塾長はテストの解法などは教えず、物事の考え方のような根本的なことを重視して、単に受験勉強を目的とするような学生には入塾を断っていた。そして、この私塾には独特の文化、共同体的な場が生まれていたのである。また、別の私塾でも、同じような場が生まれていた。そこでは富士山麓にある掘っ立て小屋のような合宿所に、子どもがたちが寝泊まりをする。そして山を一緒に歩くのだが、疲れて動けなくなった子どもが出てくると、普段は厳しい塾長がその子を背負って歩いたりしていた。

私自身が行っていたワークショップも、やはりある種の共同体を形成しており、そこに来る、関わるということ自体に決定的な意味があった。私は徒弟の親方のような存在であって、ワークショップで取り上げる本を自分ならどのように読むか、どのようなことに関心をもっているかということは話すが、他のことは相手にしない。そして入試問題の解法を欲しがる子どもには、他の塾へ行った方がいいだろうと勧めていた。それにもかかわらず、ワークショップに参加した子どもたちには大きな変化が起き、とてつもない勉強量をこなすようになる。

また、日本にやってきた外国人力士たちについても考えてみよう。彼らは、日本語を学ぶことを目的として日本に来たわけではない。しかし、相撲部屋に対して「十全的参加」をするために、結果として日本語も「学ぶ」ことができるのだ。

こうした「参加」には、「十全的参加」以外にもいくつかの形態が存在しうる。そして、そのなかには、組織が求める高い技術を有しながら、高い評価が得られないような形もある。

たとえば、寿司屋で親方が怪我をし、店に立てなくなったとしよう。もし弟子が未熟であれば、代わりに腕の立つ寿司職人を雇わなくてはならない。こういうとき、技術水準の高い者を短期的に呼び入れる場合がある。しかし、彼らはその技術で親方同様の高い評価を受けるかというと、そうではないのだ。よそ者の彼らは、その店がこれまで歩んできた経緯や成り立ちといったものを考えたりしないし、何のために客がその店に足を運ぶのかといったことも配慮しない。そして、これなら文句はないだろうと、高い技術によって握られた寿司を出す。

彼らは、ただその技術が「できる」だけで終わってしまう者たちである。その「参加」の仕方は十全的であるとは言えず、結果として、彼らには高い評価が与えられない。

この例で取り上げた十全的でない参加は、近年の学校でも同様に起きているものである。学校の「学習」は、「外的善」を達成するための目的と意図をもった手段として、「実践」と切り離されている。そのような、「巻きこま」れようのない、学習スキルの伝達に機能化した場所には、十全的参加を行うことができない。学校はすでに、共同体として文化を作り、それを維持しようとする場所ではなくなってしまっている。

現代は「最後までその場所にしがみつく」という思考が成立しにくい時代だ。そして、ある場所が気に入らなければ次の場所へ、となってしまう。しかし、この「十全的参加」の必要性を考えてみるなら、その場が嫌だからと他の場所へ移ったところで何かが得られるものでもない、ということがわかるだろう。

ただし、このレイヴの「参加」という概念を、少なくとも日本語の「参加」という言葉のまま受け止めてしまうことには問題があると私は考えている。日本語の「参加」には、積極的に自分の意志で参加する、というイメージが強い。しかし実際のところ、ある場所に参加するにあたって自分自身から関わりをつけていく場合もあれば、相手と出会って一緒に行動しているうちに関わりが生じてしまった、という場合もある。関わる気があろうがなかろうが、関係が成立してしまう場面というものがあるのだ。

また、かつて吉本隆明が「関係の絶対性」という言葉を用いて指摘したように[12]、関わりとは個人を超えたところに成立するものでもある。関係において個人の意志が作用するのは半分までで、残りの半分は相手が受け入れなければ成立しない。相手が拒否するなら関係は成立しないし、こちらに大した意志がなくても関係が成立してしまう場合もある。関係とは、そうした膨らみをもったものなのだ。

レイヴの「参加」という概念には、“active participation” の意味合いが強く感じられる。しかし、関係とは個人の意図や意志を超えて成立してしまうもので、日本なら「縁」という言葉で表すことができるような性質のものである。それが理解できず、自分の意志を重視し続ける者は、いやになったら関係を解けばよいと考える。彼らは関係が意志のみによって築かれていると考えてしまい、途中でその関係を破綻させかねない。

しかし、それは誤りであろう。関係というものに、意志は半分だけ含まれているものだ。そして私たちは、ある関係が築かれた後も、さらにそれを組み替えながら関係を継続させていくのである。

「媒介」による知の「飛躍」と「転移」

ここまで、「本物性」に関連させて、「転移」「巻き込み」「実践」「徒弟的

---

12 吉本隆明, 1959,「マチウ書試論」『藝術的抵抗と挫折』未來社.

学び」といった要素を取り上げてきた。この「徒弟的学び」が行われていくなかで、「転移」が起きるために必要となるのが、「媒介（mediation）」である。

先に挙げたレイヴは、人間は根源的な生活のなかで学ぶのであり、それを「状況に埋めこまれた学習（situated learning)」と表現している。それに対して学校での一般的な「学習」は、根本のところで「状況に埋めこまれ（situated)」ていない。そういう「学習」は、社会生活の現場に「転移」されないものである。

それが学校的な知識に近いもの、たとえば受験・進学準備のための知識や、教養的な知識であるにせよ、社会的な知識に近いもの、たとえば職人的な知識や実学的な知識であったにせよ、そこに「転移」が起きない限り、それはあらゆる場面に応用できる自分なりの知識（「個人知」）とはならない。そこには、「受験知」や「職人知」から、達人の域としての「個人知」への「飛躍」が必要である。

「徒弟」的に経験し、「学ん」だことは、染物屋であれ、学者であれ、そのまま使えるようになる。そして、「媒介」の存在によって、この「転移」が生じている。

「媒介」となりうるものには、自分が関心や親しみをもつ人物や、あるいは物が相当する。たとえば、日頃からあこがれを抱いて接している人物が、難解な哲学書を抱えて歩いていたとする。すると、それまでは何の価値も感じられなかった哲学書は、突然、意味をもったもの、好ましいものとして意識され、自分も同じようにその本を手にとって歩こうとするようになる。この場合、あこがれていた人物が「媒介」となって、その哲学書に対するある「理解」の形成が始まるのだ。

自分が「媒介」と意識するにたりるうるものがその「場」にあれば、学習者や参加者にとって、その「場」に関わること自体が絶対的な善となる。そして、その「場」にいる人や物を「媒介」として、「個人知」への「飛躍」が起こるのである。

この点に関しては、ヴィゴツキー（Vygotsky, L. S.）の唱える「発達の最近接理論(zone of proximal development=ZPD)」が参考になる[13]。ヴィゴツキーは、「飛躍」は孤立したところでは起こらない、という。それは「プロクシマル（proximal)」な、自分に近い、似た者や、心理的距離が近いところで起こるものなのだ。そして、教育者は、こうした「ゾーン(zone)」をいかに提供できるかが問題だという。

ある「共同体」で、「飛躍」が起こるとき、それは、「実践」のなかで「卓越性」(「よりよき・よりすぐれた達成」）を体現している「先人」や「師」、「手本」や、その手本が駆使する「道具」といった「媒介」を介して起こるのである。こうして「転移」が起きることで、私たちは「学び」を社会生活の多様な場面に応用することが可能となる。

私たちは、ある会話の技術や、ある学習スキルを身につければ、それはどのような場面でも、いつでも取り出せて役に立つ、と考えてしまいがちだ。しかし、ここまで見てきたように、実際にはそうした「転移」は簡単に起きるものではない。抽象的・形式的な概念を学習しても、それを多様な状況に当てはめて考えられるようにはならないのである。

私たちが「学ぶ」ために必要なのは「本物性」であり、真似ごとではない。そして、「本物性」が生まれる場とは「実践」を行う「共同体」である。人間はそこに「巻きこま」れ、継続の意志をもって「参加」していくことではじめて、「学ぶ」ことが可能になるのである。

---

13 Выготский, Л. С., 1934, *Мышление и речь*, Соцэкгиз.（柴田義松訳，1962年，『思考と言語』明治図書.），Выготский, Л. С., 1935, *Умственное развитие детей в процессе обучения,* Государственное учебно-педагогическое издательство.（福井研介訳，1975年，『子どもの知的発達と教授』明治図書.，土井捷三ほか訳，2003年，『「発達の最近接領域」の理論――教授・学習過程における子どもの発達』三学出版.）

第3節　「ことば」が生まれるとき

社会的な存在としての人間

私たちは、ここまで、「前言語コミュニケーション」や「本物性」という要素を手がかりとして、人間が「ことば」に目覚めるための過程を検討してきた。

「共同注視」という行動に表れているように、人間は感動を分けあい、共有したいと願う生き物である。他人と通じあい、発見の驚きと感動を共有したいという思いは、私たち人間に本能的に備わったものだといえるのではないだろうか。

山極寿一らが論じたように、人間は手に入れた食料を他者とわけあい、共に食そうとする生物である[14]。そして、共に食べるという行為を通して、人間は他者と意見をかわし、おいしい、まずい、という感覚をも共有していく。人間は、味覚すら、他者との関わりのなかで変え、広げている。

また、生まれたばかりの子猫が、母猫の乳を本能的に吸おうとする原始的吸引は、人間の赤子も行うものだ。赤子は、誰も教えていないのに、母親から乳を吸う。原始的吸引は哺乳類に広く見られる行為であって、哺乳類とは、母から乳を吸う存在である、ともいえる。そして、「吸う」という行為は、「母親」という自分以外の存在、他者に対して行うもので、それ抜きでは私たちは生存することができない。

他者との関わりは、人間の文化の根本であって、この世界に、人間が一人だけで存在する、ということはありえない。このことをもって、人間は社会的な存在である、ということができる。

14　山極寿一，1997,「食のホミニゼーション」『行動科学研究』36: 25-31. ほか.

そして、私たちは、生きていくために「実践」を行う「共同体」へと「参加」していくのであり、これは、人が何かを「学ぶ」ことの前提となる。私たちがものを「学ぶ」こと、「理解」することとは、その特定の関係のなかで、何かを使えたり、物事をうまくこなせる、ということだ。他者や物に関わり、そこで生きていくことは、「学び」や「理解」の根本である。

「ことば」は「生まれる」ものである

また、人間が、自分の驚きや喜びを他の人と共有したい、という思いをもたないのであれば、「ことば」は必要ない。共に語りあえる人、あるいは考える対象や知りたい対象があるとき、私たちのこころは対象に向かって開かれ、そこに「ことば」がわき起こる。

ヘレン・ケラーが「ことば」に目覚めたとき、彼女とサリバン先生は、「ことば以前のことば」によってコミュニケーションを成立させ、二人の間に「共通世界」が生みだされていた。子どもが「母語」を習得するときにも、養育者は「前言語」段階の子どもの身体と一体化し、子どもの意味世界と共生して「共通世界」をつくりあげる。

「ことば」は、人間のなかに孤独に生みだされるものではない。構造化された母語の意味世界と、その文化の住人との「共通世界」における共同行為のなかから生まれてくるものだ。

私たちは生まれたときから、他者との協同的な活動に巻きこまれている。そして、「ことば」とは、人が外界と闘って「獲得する」ものではない。人と人、大人と子ども、あるいは子ども同士が、お互いに同調し、共鳴し、共通世界をつくる共同行為のなかから「生まれる」ものなのである。

第２章

地球語としての英語（English as a Global Language）

第１節　英語教育の今日的課題

どうすれば「英語」が「身につく」か

日本人の「英語」が世界に通用しない理由は、いたって単純なものだ。それは、母語の「日本語」を使うように、「英語」を使わないからである。

日本人は、英語をはじめとする外国語を、数学や物理と同じように、一つの学習すべき「科目」として扱っている。まず、アルファベットや単語、それに発音を覚え、文法を学び、文章の読解法（＝「文法訳読法」）を習う。そんな「学習（study）」が重視されすぎていて、「ことば」が本来もっている働きであり、その本質的な機能でもある、「聞く」「話す」「読む」「書く」が、外国語習得の中心にすえられていないのだ。

それでは、いったいどうすれば、英語が「身につく」のだろうか。それは、母語を学ぶように、外国語を学べばよいのである。

私たちが生まれたときから使っている「ことば」を「母語」というが、通常、母語を使っていることすら意識されていない。これを正式には「第一言語」と呼ぶ。私たち日本人は、もの心ついたときには、みんな「日本語」をしゃべっていた。そして、「ひと」や「ものごと」について、思い悩み、考え、伝えあうのに、いつも「日本語」を使っていたのである。

赤子が「ことば」に目覚めていくとき、文字や文法のことなど少しも必要としない。また、そのための「お勉強（study）」など、わざわざしない。成長とともに、誰もが自然に母語に慣れ親しみながら、「聞き」「話し」「読み」「書く」能力を身につけ（learn）ていくのである。

外国語の習得も、まったくそれと同じようにするべきだ。「習うより慣れろ」という格言があるが、ことばというものは、「頭」で学ぶものではなく、「身体」で覚えるものである。それは、「学習」するよりは「体得」するものであるといえる。「体得」という方法は、一見して、回り道のように思えるが、実はそれが外国語習得の最短距離なのである。

前章でも述べたように、「ことば」は「コミュニケーション」に使われるものだ。しかし一方で、「ことば」とは、単なるコミュニケーションの道具であるだけではない。私たちが世界を認識したり、思考を方向づけたり、整理したり、というように、人間の高度で抽象的な認識能力・思考力をはぐくみ、促進するものも、基本的に「ことば」に由来する。だから、「知性」を磨くこととは「言語能力」を磨くことにほかならない。

そして、日本人の「英語力」が世界に通用するためには、「英語」を使って「知を創造」する経験を、世界の人びとと共有すればよいのである。そのために必要なのが、「英語」を「もう一つの第一言語」（＝「第二言語」）として学び直すことだ。それは、私たちがスキーやスケート、野球やテニスを習い覚えることと、さほど変わりがない。

このことについて考えていくため、本章では、まず、これまで学校英語がたどってきた道のりを検討したい。

学校英語は実際的か

日本の英語教育において、英語を読み、書き、話すうえで最小限度必要な「語学の枠組」は、文部科学省選定の英語テキスト・中学1年～中学3年の範囲におおむね扱われている、という魅惑的な考え方がある。その魅惑の最大のものは、そう見ることによって、読む・書く・話すとは三位一体であり、その意味で、学校英語と社会英語の間には本来的な断絶がありえない、とすることができる点にあるだろう。

この主張が、1970年代、当時きっての実際の英語の担い手である國弘正雄によってなされたものであることが、その印象をいっそう強めている。実際的か否か、という実に曖昧な基準によって無残に引き裂かれた、だが本来は一つであるはずの、具体的な表現としての英語の姿を復元したいという欲求は、たしかに正当なものである。その欲求がいかに激しくとも、誰もそれを否定することはできないだろう。

しかし、はたして学校でこれまで教えられてきた英語は、実際的なものとなったのだろうか。具体的にいえば、1970年代後半に登場した学校教材である “The New Crown”（三省堂）を筆頭に、そのほか多くの学校テキストは、本当に「実際的（practical)」な表現としての英語の体裁を備えているのだろうか。

私自身、そういう見方のおもしろさに惹かれたことのある身だ。しかし、それはまったく間違ったものである。この反省からはじめることによって、現在、日本の英語教育が直面している本質的な問題を抉り出す最良の手がかりを見つけることができるように思う。

もちろん、先述した “The New Crown” 初版に見られた英語は、表現された実際的な英語と、さまざまな点で似かよっているかもしれない。たとえば、同テキストの中学１年生用、第３課では、“This is a ～. That is a ～. Is this a ～? Yes, it is.” の文型・文法が扱われており、構文の使われる場面を学習者に意識させようとする意図のもとに、挿絵がはさんである。手品師をテレビ画面に登場させて、奇術を行わせ、それを２人の子どもが見ている絵である。

これを具体的な表現としての英語と見立てて興がることは、あながち非難するにあたらないだろう。まして手品師が演技の過程で “This is a ～.” というかもしれないのだから。しかし、手品は観客を前にして行う一連の演技であり、表現行為である。そこには、一つのスタイルとも呼ぶべき表現の形式があり、息遣いがあるだろう。

同テキストの第３課は、そういうものとどれほど共通点をもっているだろうか。現在の私の考えによれば、実際的な表現には、それを成立させる幾つかの主要な要素があるが、このテキストには、それがいささかもないように思われるのである。

だとすれば、「表現」とは何か、「実際的」「具体的」とは何か、という手垢に汚れた分だけ厄介な問いが頭をもたげてくるだろう。しかし、それは後に回すとして、もう少し詳しく、70年代後半に登場した“The New Crown”初版について検討してみよう。以下に、同テキストの指導書、第3課の指導方針の一部を引用する。

(1) This is　～. That is ～. の situation の難しさ

イギリス、アメリカ、オーストラリア、カナダ、その他英語を話す国で This is a pen. That is a pencil. と話すとすれば、相手が pen や pencil という物を初めて見るか、その名称を知らない時に説明するということになろうか。相手が pen や pencil を見たり使ったりした経験があり、ましてその名称も知っている時に This is a pen. That is a pencil. と説明するのはおよそナンセンスである。黒船が下田沖に現れた頃なら This is a pen. は強烈な意味をもっていた。ペンやペンシルが外来語として日本に定着し、日常使っている現在では、ペンやペンシルを見せて This is a pen. That is a pencil. と言うのは不自然である。そういう意味では That is a hat. も……That is a glass. も、situation がうまくしっくりいかなければナンセンスになる。hat も……glass も外来語として、また日常使う物として知らない生徒はいない。situation 抜きに This is a hat. と言うのは空虚であり、しらけてしまう。

(2) magician（手品師）を採り上げた理由

一人の手品師が画面に現れる。手に持っているのはシルクハットである。「皆さん、これは帽子でございます。種も仕掛けもございません。皆さん、よーく見て下さい。これは帽子ですよ。よろしいですか」

手品師は帽子の中からさっとコップを取り出して見せる。「はい、これはコップでーす」手品師は帽子の中からさっと取り出し、さっと投げ上げる。グラスは手品師の手を離れて空中に浮かぶ。「はい、あれはグラスです」手品師はシルクハットをかぶる。次に何が起こるだろう。見物する者には期待がある。手品師は帽子を取る。りんごだ。手品師は得意である。「そうですこれはりんごでございます」

手品師が登場すると、さしもの難題 This is 〜.、That is 〜. が reality をもつ。手品師は見物している子どもに尋ねる。さっと取り出した物を見せて尋ねる。Is this a glass? 子どもは答える。「はい、そうでーす」舞台と客席の間に結び付きが生まれる。

手品師は見事に reality のある situation を生み出す。

こうした記述からは、それ以前の指導書にはそれほど意識されていなかった「場面」についての考え方が、実にはっきりと窺える。

（1）では、This is 〜.、That is 〜. の成り立つ場面の非現実性が指摘されている。This is a pen. という一文は、けっして指示代名詞 this、be 動詞の is、冠詞の a、名詞の pen と、「S+V+C」の文型とからなるものではない。それは、具体的な場面のなかで発せられた具体的な表現である、という点を教師・学習者の側に意識させようとする姿勢が、この指導書には見られる。さらに（2）では、具体的な場面として、テレビ画面に手品師を登場させて、それによって「さしもの難題 This is 〜. That is 〜.」に reality をもたせうると自信のほどを示している。

しかし、これで難題が消えたのだろうか。たしかに、この考え方をさらに徹底化していけば、おそらくは言語を表現としてみる立場の一歩手前まで行き着くのだろう。だが、私はまさにその一歩手前で立ち竦むのである。

英語表現の担い手となれない学校英語

「this ＝これ」「that ＝あれ」という例の悪しき英日両語の関連づけが、いまなお学校英語に蔓延している事実はさておくとして、this は話し手・

書き手にとって身近であると意識されるもの（場所・物・人・関係・その他）を指示するのに用い、that は逆に話し手・書き手にとって遠いと思われるものを指示するのに使う。したがって、指示対象が人間であるか、場所であるか、物、関係であるかによって、this なり that の日本語の対応表現は違ってくる。

手品師という話し手にとって、指示しようとする対象は a pen であり、a book であって、それがごく近いと意識されているところに位置するか、遠いと意識されているところに位置するかによって This is a ～. となったり、That is　～. となったりする。“The New Crown” に挿入されている場面とは、このような意図を背後に隠しもっているのである。そして、これは、過去の学校テキストの製作意図と比べて、大いに評価されてしかるべき点であろう。

それなら私は、なぜこのテキストを前にして立ち竦むのだろうか。白状してしまえば、過去にあって、私はこの “The New Crown” とほぼ同一の意図のもとに、主に中学生、高校生に英語を教えていた。つまり、一つ一つの英文を、文型と語彙の組み合わせとしてみるのではなく、それぞれが文章、口頭のいずれによるにせよ、具体的な場面で具体的な人物によって表現された意味の世界として扱わなければならない、ということを一貫して強調してきた。また、自分で英文を読むときは、常にそれを心がけてもきた。この方法は、中学・高校の如何を問わず、学校英語に見られる、特定の英語の文型と語彙には、特定の日本語の文型と語彙を対応させる、という関連づけの図式を打ち壊すのに、かなりの効果があることは疑いようのないところである。

しかし、この方法を無限に積み重ねてみても、書かれ話された英語を表現として受容する習慣は培われるだろうが、自分がそれによって表現の担い手としてふるまおうとする姿勢など、生まれてはこないように思われる。

人は言うだろう、英語で表現できないのは、英語の組み立て方が十分に身についていないからで、文構造を、佐々木高政『英文構成法』[1]や、ホーンビー(Hornby, A. S.)の“A Guide to Patterns & Usage in English”[2]などによって習得すべきである、と。たしかに、いったん英語を書くか話すかいずれかの側に身を置くと、英語の構造が否が応でも意識されてくるものだ。前述の二冊などは、さしあたって、英語を作る側の視点をもって、英語の文構造を体系的に整理してみせた好著といえるだろう。

私もまた、これらの著書に自ら学びもしたし、生徒たち（主に高校生以上）に使わせもした。しかし、そうすることによって、英語で表現することが可能になった、とはどうしても思えないのである。むろん、語彙もコロケーションも含めたうえでの話である。

かつて、國弘正雄は著書『英語の話しかた』[3]などを通して、英文の「只管朗読」「只管筆写」の効用について説いた。その最大の意図は、頭で理解し、記憶した英語を手や口にのせることのできる、つまり「ことばを内在化、internalize させる」という点にあるだろう。自分のささやかな経験に照らしあわせてみても、この方法は実に効果的であると考えられる。さらに同氏は、只管朗読に使う英文は「会話書に出てくる短文」よりも、むしろ「内容の一貫したものを通して朗読することが望ましい」とされ、「日本人の多くが日本語的な発想から脱けきれないのも、長い文脈で英語を話したり書いたりする訓練が不足している」ことによる、と指摘している。これが、英語で自分を語らざるをえない場所に、常に身をおいてこられた方の経験に裏打ちされた貴重な提言であることは、言を俟たない。

しかしながら、「只管朗読」が同氏にあって可能であり、しかも効果的

---

1 佐々木高政，1949 年，『英文構成法』金子書房．

2 Hornby, A. S., 1954, *A Guide to Patterns and Usage in English,* Oxford University Press.（岩崎民平訳，1962 年，『英語の型と正用法』研究社出版．）

3 國弘正雄，1970 年，『英語の話しかた——同時通訳者の提言』サイマル出版会．

聞き手の耳をとらえていないのは、声にイメージがのっていないからである。聞く者にイメージを喚起していないのであれば、話し手である教師にとっても事情は変わらない。これは別に、イメージでなくともよく、思考の展開そのものであってもかまわない。つまり話し手の声が、結果的に聞き手の側に、ある思考の展開を強いるか、イメージを喚起したとき、まさにその限りにおいて、表現が成立したといえるのである。

話し手が主観の内部に、原イメージとも思考の表象ともいうべきものを思い浮かべたとしても、それをもって、イメージ、思考とはいわない。これは、いわばイメージ以前のイメージ、思考以前の思考である。人は、それが表現すべき内容、伝達すべき意味であるかのごとく考える。だが実際は、相手（自分であってもよい）に伝わったかぎりにおいて、イメージが客観的に存在したのであり、思考が客観的に展開した、と考えるべきである。

「場面」再現の欺瞞性

特定の条件下で、何かを語る、あるいは書くとして、それが表現として成立するかどうかは、相手あってのことである。したがって、前もって語ろうとするところを幾度となく反復し、用意万端の態勢で臨んだとしても、表現行為が成立することもあれば、しないこともある。ひどい場合は、失語してことばが口をついて出ない、あるいはペンの先に文字がのらずに、ただ茫然自失するのみとなる。だが、なぜ、このような事態が生じるのだろうか。

喫茶店にはじめて勤めたウェイトレスが、「いらっしゃいませ、ご注文は何にいたしますか」の一言が口をついて出ないために、困惑する。ところが彼女は、あらかじめ店長から、店内での歩き方、口のきき方、服装などについて、指示と訓練とを受けているのである。ところが、いざ本番となると、彼女の身体はこわばり、口は貝のように閉じたままとなってしまう。口を開こうとはするが、焦る気持ちが先に立ち、不安は増すばかりだ。

しかし、店内の全体の流れがつかめてくると、ぎくしゃくとしていた彼女のふるまい方も変わって、身も心もその場と一体になる。店の営みに、彼女の身体が慣れたのである。それにあわせるように、客の姿・形も具体的に見えるようになり、自分の行為が誰に向けられるべきか明瞭になってくる。そして、彼女の緊張していた口が、ようやく開くのである。

ここに、表現の成立するための根本条件である「場面」が、まさに現出しようとしている。

従来の「場面」についての考え方は、話し手と聞き手とがいて、喫茶店という場面があり、それを背景に相互にことばを交わす、というものである。この考え方は、演劇をはじめとして、学校の授業、語学教育など、いたるところに拡張されている。

演劇にあっては、俳優がいて、演ずる場面として舞台があり、語るべき台詞が用意されており、俳優は台詞をいかに本当らしく言うかに汲々とする。一方、教室にあっては、教師と生徒がいて、教室という場面が設定される。教師は俳優と同様、語るべきを語り、生徒も聞くべきを聞く、という構図が成立する。ただ、これら二つに共通しているのは、話し手と聞き手と場面があると、表現は可能である、という根本的な錯誤である。

しかし「場面」とは、表現がなされたかぎりにおいて存在すべきものだ。話し手と聞き手は、はじめから存在するものではない。存在するのは、自分は話し手であるという意識と、相手は聞き手であるはずだという意識と、漠然とした場面についての意識とだけである。対話が成立したときに、これらが客観的に、かつ具体的に存在したのであり、場面はそのかぎりにおいて関係としてあった、というべきだ。

そして、表現という行為は、話そうと意識している私が、聞き手であると私が意識している相手（自分であっても事情は変わらない）に対し、何かを伝えるという意図を必然的にはらんでおり、その意味において、他者の存在を前提とした作業である。しかも、この他者は表現が成り立たぬかぎり、聞き手としては決して立ち現れてこない。そして、関係としての「場面」が成立するのは、他者が聞き手として立ち現れる、その瞬間をおいてほかにはないのである。

長い文章を只管朗読せよ、という國弘正雄氏の意図は、既に述べた通りである。ところで、もし朗読が自己表現の契機たりうるとするならば、それは朗読の対象となる文章に触れて、触発されたところを、只管（ひたすら）、具体的な他者に向けて語る作業を抜きにしては考えられないことだ。この点を欠落させると、いかなる朗読も、文型、語彙、コロケーション、短文を口と手に憶えさせる従来のパターン学習の作業となんら選ぶところがないことになる。

つまり、あらかじめ練習を積んでおいても、その作業自体が習得すべき一つのパターンと化しているから、具体的な表現の場では、喫茶店のウェイトレスのように失語してしまうだけとなる。けだし、これは英語、日本語の問題を超えている。どんなに長い文章であれ、完結した表現形式であれ、それが目指すべき規範として意識されるかぎりは、パターン学習と変わらない。

既存のパターン学習の盲点は、注入したパターンを、いわゆる「場面」において、近似的に再現してみせようとする姿勢そのものにある。そこでは、相手に、何がどのように伝わったのか、ということはほとんど問題にはならない。むしろ、いかに規範に近似的であるか、発音、リズムがいかに規範から逸脱していないか、いかに規範の文章のリズムに近いか、いかに本来の自分の考えに近いか、ということのみが話題の中心となるだけである。

過去にあって、日本の英語教育は、この点をめぐって終始してきたといえるだろう。

日本人が目指してきた「英語力」とは

その後、1984（昭和59）年の秋に、当時NHKラジオ英会話の講師として、「流暢」な英語を駆使することで知られていた東後勝昭は、ロンドン大学で開催された「国際会議」に、日本代表として出席し、あるセッションの司会を務めた。このときの同氏の回想を、以下に引用したい。

> ……会議は始まった。発表者の発言のあと、パネリストと会場参加者との意見の応酬になった。外国の代表の口からは、みんな英語国民でないのに、英語がポンポン出てくる。私は、とまどった。速くてついていけない。議論にならない。そのうちに、なにが問題なのかも怪しくなってきた。「ああ、ダメだ！」全身から、さっと血の気がひいた。あとは、どのようにしてそのテーブルの議論を収めたのかも、覚えていない。ただ、ぼう然としていた。私の英語にたいする自信は、ガラガラと音をたてて崩れていったのだけを覚えている。
>
> その日、ホテルにもどり、一人考えこんでしまった。なぜだ！ どうして自分はこんなにできないのだ！ その時、あれこれ考えたのは、こんなことである。
>
> 1）日本人が英語を使えるようにならないのは、どこかに決定的な要因がひそんでいるに違いない。
>
> 2）これまでの文法、文型中心の勉強には限界がありそうだ。
>
> 3）「覚え」、「練習」をし、それから「使う」ようになる、という勉強の順序では、「使える」ところには到達しないのではないか。
>
> 4）ことばを「知っている」ことと、コミュニケーションとして（ある目的のために）「使える」こととは、別問題のようだ。
>
> （東後勝昭『英会話最後の挑戦』[4]、pp.5-8）

4　東後勝昭，1993年，『英会話最後の挑戦――コミュニカティブ・アプローチによ

そのようなことを感じた東後氏は、NHKの番組を降り、1986年1月にロンドン大学に再留学し、コミュニカティブ・アプローチの原点ともいえる“Teaching Language as Communication”[5]の著者、H•G•ウィドゥソン（Widdowson, H. G.）のもとで、コミュニケーションの視点で、ことばをとらえるべく、研究にいそしみ、もって日本人の英語学習法を根本的に見直し、以下の3つの原則に基づく方法としてのコミュニカティブ・アプローチ（Communicative Approach）という最新の教授法を日本に普及しようと、中学校教科書“COLUMBUS ENGLISH COURSE”（光村図書）を執筆するにいたる。

その3原則は、以下の通りである。

1）自然な英語だけを覚える。
2）ことばを超えて相手の意図を推測する力を養う。
3）「覚える」より、「使う」を優先する。

さらに同氏は、教科書の執筆後、1993年6月に『英会話最後の挑戦』を出版し、コミュニカティブ・アプローチについて、きわめて明快な解説と提案をしている。

ところで、1993（平成5）年以降の中学校の英語教科書は、一見したところ、まるで洋書店に並んでいる英会話のテキストのように見える。そして、そのなかには、東後氏のいうような「自然な英語」が満載されているようにも見える。氏によれば、「コミュニケーションとは、おたがいがことばを交わすだけでなく、それを通し、ある目的を果たすことで

る最新学習法』講談社.

5　Widdowson, H. G., 1978, *Teaching Language as Communication*, Oxford University Press.（東後勝昭訳，1991年，『コミュニケーションのための言語教育』研究社出版.）

あり、<自然な英語>とは、そのために機能しているものでなければならない」という。つまり、「自然な英語」とは、コミュニケーションとしての機能を果たしているものということになる。

すなわち、表現されたことばには、文や語句そのものが、本来表す意味（A）と、場面のなかで話し手が相手に伝えたい意味（B）と、二種類があることを心得ておかねばならない。それは、以下のようなものである。

A）How many times have I told you?
　私はこれまでに、あなたに何回言いましたか。
　Three times.
　3回です。

B）Mother: How many times have I told you?
　なんど言ったらわかるの！ 言ったとおりにしなきゃダメじゃないの！
　John: I'm sorry, Mom.
　ごめんなさい。

あきらかに、これは従来いわれてきた「自然な英語」「実質的な英語」「本物の英語」とは違っている。それまで、「自然な英語」ということばは、英語を母国語とするネイティブ・スピーカーが使っている「自然で、実際的で、かつ本物の」ことばとしての英語、すなわち「英語らしさ」という意味合いで使われていた。それを思えば、隔世の感がある。

その後、日本の英語教育の分野では、コミュニケーション能力の養成を重視するコミュニカティブ・アプローチが盛んとなっていった。ところが、このアプローチにおいてすら、それが正当な「教育方法論」であるため、教室という場と、「英語を教え・学ぶ」という教育観が根底にある。また、そこで重要とされるコミュニケーション過程についても、「話し言葉（spoken language）」がどういう条件のもとで用いられるか、という検討が不足しているのだが、この点については第2節で詳述する。

英語教育の現在と今日的課題

あらためて整理すると、英語教育は、1950年代から現在にいたるまでの間に、およそ4つの段階を踏んできた。

第1段階は、1950年代から60年代中頃にかけての、「英語教授法全盛の時代」であった。このころには、「英語を言語として教え・学ぶ」ということに注意が目が向けられた。そして、米国を中心として、確固たる教授法（a method）が実践されたのである。その象徴が、“Audio-lingual Approach”であるといえる。

第2段階は、1960年代終盤から70年代中頃にかけての、「英語教授法模索の時代」だ。これは、「学習者中心」という視点が提出されたものの、全体としては、米国を中心として、教授法を模索する時代であった。このころの象徴は、“Learner-centered Approach”である。

第3段階は、1970年代後半から80年代にかけての「新しい方法論の時代」である。英語教育の主要な舞台は英国・欧州に移り、英語の内実化が図られた“Communicative Approach”が台頭した。“Communicative Approach”は、この時代の象徴であるとともに、現在でもなお、英国・欧州を中心に、世界中で注目を浴びている。

こうした3段階を経たのち、1990年代から現在までの期間を通して、「英語を教え・学ぶ」から「英語を使う（英語で学ぶ・考える・教える）」への視点移動が起こりつつある。そして、世界的に、英語の「規範」そのものの見直しが迫られているのである。現在の私たちの時代を象徴するものが、“English as a Global Language”だ。

以下の付表は、現在までに論じられた教授法を比較し、その特徴と長・短所を整理したものである。

（付表）教授法比較一覧　＊特に言及してはいない

	文法訳読法	直接法
言語理論の基礎	伝統文法	＊
学習理論の基盤	ラテン語教育	第一言語習得過程を模倣
言語規則習得の方法	演繹的	帰納的
重要視される技能	読み方 翻訳	話し方 聞き方
母語の使用	利用する	使わない
学習の方法・内容と意味の与え方	（方法・内容）文法規則・語彙を暗記し、原文を母国語に翻訳する （意味の与え方）対訳を与える	（方法・内容）教師が質問して学習者が答える、文法の説明はせず、子どもが母国語を学習するような方法 （意味の与え方）絵、動作、写真、実例を使用
主な長所	①複雑な文法を暗記し、正確に翻訳することにより、分析能力がつき、頭脳の訓練になる ②大きいクラスでも問題はない ③言語で書かれた文学に触れることにより、教養が高まる ④教師の助けなしでも、本を使って独習が可能 ⑤対訳によって、意味が明確に伝えやすい ⑥その言語を自由に話したり聞いたりできない教師でも教えられる ⑦教授法そのものは難しくない	①学習者の母国語は何でもよい ②教師は、学習者の母国語を知らなくても教えられる ③どの言語レベルの学習者にも使える ④教師が常に目標言語しか使用しないので、その言語との自然な接触量が多い ⑤目標言語しか使わないので、外国語を勉強している満足感は強い ⑥学習者は、絵や実例を見て自分で推測し、時間をかけて理解していくので定着がよい
主な短所	①話し方・聞き方は学習の目的ではないため無視され、その結果、口頭による言語伝達能力が習得できない ②正確な発音ができない ③自発的な言語使用はない ④学習者のニーズに対する配慮はない	①少人数グループに限られる ②教師の質問に答える形式が主なため、学習者の自主的発話が少ない ③実物・絵などを使用して教えることから、語彙に限りがあり興味をそそる場面をつくるのが難しい ④意味の把握に曖昧さが残りやすい ⑤抽象的な事柄の導入が難しい ⑥認知力がありすでに言語習得経験がある者に、子どものように時間をかけ説明なしに教えるのは、時間的・経済的に無駄が多い

	オーディオ・リンガル	G D M
言語理論の基礎	構造言語学 記述言語学	リチャーズの意味の三角形
学習理論の基盤	行動主義心理学	ゲシュタルトの心理学
言語規則習得の方法	帰納的	演繹的
重要視される技能	聞き方 話し方	四技能
母語の使用	練習時は使わないが、説明に利用	使わない
学習の方法・内容と意味の与え方	（方法）習慣による言語形成 （内容と意味の与え方）刺激と反応を使った、機械的なドリルの重視 / モデルを使って実例を示す・絵や写真を使う	（方法）直説法による、修正された文法訳読法 （内容と意味の与え方）口頭で提示したもののイメージ化と文字化 / モデルによる実例、絵や写真
主な長所	①聞く・話すの訓練が、かなりの速さで、徹底的に行われる ②クラスの人数が多かったり、レベルの差があっても使える教授法である ③初級から中級にかけての、どのレベルにも適している ④原則的には母国語の話者が指導するので、正しい発音が学べる	①語彙数や構文が制限されているため、学習しやすい ②制限された語彙も頻度が高いので、かなりのことが表現できるようになる ③文字もはじめから導入されるので、耳と目の両方から学べる ④絵の利用は、かなり理解を助ける
主な短所	①機械的なドリルによる練習が重要視されるので、学習が単調で退屈になる ②学習したものが、実際の場面ですぐ役立たない ③学習者の創造性や自主性を生かすことができないため、学習者が学習意欲をなくす ④教師は、正しいモデルを示すことができる母国語の話者でなければならない	①学習項目の選択が難しい ②限られた語彙だけを学習していると学習に発展性が出てこない、とくに専門用語や文学的な表現などは省かれてしまう ③語彙が制限されるので、文が不自然になる

	認 知 学 習	T P R
言語理論の基礎	生成変形文法	* (構造主義的アプローチ)
学習理論の基盤	認知心理学	第一言語習得過程の応用 大脳生理学
言語規則習得の方法	演繹的	帰納的
重要視される技能	四技能	聴解
母語の使用	利用する	使わない
学習の方法・内容と意味の与え方	(方法)人間の言語運用能力による習得法 (内容と意味の与え方)学習者が理解しやすい場面や状況を重視したドリル / 説明、実例、絵など様々な方法	(方法・内容)言語の聴解と身体運動を連結させることにより、記憶の保持と学習の促進をする (意味の与え方)実例、モデルを与える
主な長所	①学習者は、学習する内容についてあらかじめ知識を得ているため、学習が効果的になる ②すでに学習した語彙や文型を使って、学習者は自分の言いたいことが言えるので、学習が能動的になり、学習意欲も増す	①かなり長い期間にわたって発話を遅らせるので、学習者は不安感や緊張を持たず、聴解に集中できる ②学習事項を聴解に限定するので、発話練習に入る前にその言語について十分の知識ができている、したがって発話がより容易である ③他の教授法との併用ができる ④学習者の注意は意味の理解に向けられる ⑤理解中心といっても、学習者は身体を動かして反応するので、学習者の積極的参加が求められる
主な短所	①いくつかの教授法の方法を取り入れているため、決定的な教授法をもっていない ②教師は言語の構造や発音についても説明できる知識をもっていなければならない ③言語の理論を重んじて、言語が実際の場面でどのように機能しているのかといったことに注意が払われていない	①導入形式が命令形ということで、内容が限定されやすい ②抽象的概念の導入が難しい ③命令に従って身体を動かすことに対する反感がある学習者も多くいる ④聴解力から発話力への移行は必ずしも容易ではない ⑤発音の指導・矯正が不十分である ⑥学習者からの自発的発話がない ⑦実際の自然な言語運用から、かなりかけ離れている

	C L L	サイレント・ウェイ
言語理論の基礎	* （文法・対訳法）	* （構造主義的アプローチ）
学習理論の基盤	相談心理学 / 人間学的心理学 バイリンガル教授法	認知心理学 人間学的心理学
言語規則習得の方法	帰納的 演繹的	帰納的
重要視される技能	主に話し方	主に話し方
母語の使用	利用する	使わない
学習の方法・内容と意味の与え方	（方法・内容）集団の中で行われる学習者の自主的発話に、教師が翻訳や訂正を与え、それを学習者はくり返す （意味の与え方）翻訳を与える	（方法・内容）教師は専ら沈黙を守りながら指示を与え、学習者は試行錯誤しながら自主的に発音・語彙・構文を学習していく （意味の与え方）フィデル・語彙表・カラーチャート、棒を使って実例を示す
主な長所	①興味のあることについて自分のペースで学習でき、動機づけが得られる　②発話を強制・批判されないため、不安感や緊張感がなくなり学習が容易になる　③学習者の自主性が重んじられる　④グループ内での実際のコミュニケーションを通じて行われるので、真の言語運用に近いものが学習できる　⑤母国語で自分の気持ちや感じたことが言えて、フラストレーションが少ない　⑥他の学習者との共同意識が生まれる　⑦最初から抽象的なことも言える	①グループダイナミックスを利用することから、学習者は互いに協力し、自主的に学ぶことを学習する ②沈黙により学習者の発話が多くなり、集中力も高まることで学習が促進される ③学習者は試行錯誤しながら言語を習得するので、満足感や充実感が生まれる ④教師中心のクラスから、学習者中心のクラスになる
主な短所	①少人数グループに限られる ②学習者の母国語を十分に使いこなせ、しかも翻訳能力のある教師が必要 ③言語的知識の他に、教師にはカウンセリングの知識も必要で、教師の養成がかなり大変 ④学習内容の体系化が難しい ⑤教師が非指示的すぎて、学習者が戸惑う	①少人数グループに限られる ②文法・語彙の導入は、段階的で人工的になりやすい ③学習内容は教師がコントロールするので、学習者の自主的発話はない ④教師のモデルが極端に少ないため正しい発音習得が困難だったりと、学習者の負担が多い ⑤教師からの情報が少なく、学習者はフラストレーションに陥りやすい ⑥教具利用に精通せねばならない ⑦抽象的な事柄の導入が難しい

	サジェストペディア	コミュニカティブ言語教授法
言語理論の基礎	* （構造主義的アプローチ）	体系文法（機能言語学） 社会言語学
学習理論の基盤	暗示学 / 人間学的心理学 バイリンガル教授法	認知心理学
言語規則習得の方法	帰納的	帰納的 演繹的
重要視される技能	主に話し方	四技能
母語の使用	利用する	文法の説明・指示を与える場合など、必要に応じて使用する
学習の方法・内容と意味の与え方	（方法・内容）教師や教授方法に対し、絶対的信頼をもたせる / 音楽を利用したり、学習環境を整え、精神の安定・集中を図って記憶力を増進させる （意味の与え方）翻訳	（方法・内容）実際の言語運用に近似した学習活動を通じて学習をする （意味の与え方）対訳、実物、絵、モデルなど、何でも使う
主な長所	①無意識のうちに、驚くべきほどの記憶力の増加が期待できる ②幼児化・ロールプレイを通じ自己からの解放があり、結果、学習者はより素直になって学習が促進される ③短期間のうちに膨大な内容が学習できる ④音楽や学習環境の整備が言語習得に深く関係していることを示した ⑤言語的な能力開発だけではなく、潜在する美的感覚を刺激し、豊かな感性を育てる ⑥健康の増進	①学習者の目的・必要性を重視し、すぐ役に立つ実際の言語使用に近いものが、はじめから学習できる ②学習者の興味や学習意欲が維持しやすい ③はじめから無理なく四技能が学習できる ④言語について学ぶのではなく、言語を使って自分の意志を伝達する能力を育てる ⑤文脈・場面にあった適切な表現・行動が学習できる
主な短所	①少人数グループに限られる ②学習環境を整えるための費用がかかる ③この教授法に対し十分な信頼を寄せないかぎり、効果は期待できない ④絶対的な信頼を得られるような教師を養成するのは困難 ⑤この教授法の強調する効果が、他の教授法に比べてかなり極端なことから、はじめから疑問視されがちである	①機能項目によって新出のものが導入される場合、文法項目・語彙・文型が複雑になり、初級レベルでの使用が困難あるいは十分な検討が必要 ②言語の運用や滑らかさ、文法的正確性が軽視されやすい ③学習内容の段階的導入が難しい ④教材、ゲーム、ロールプレイ等の副教材の準備が大変 ⑤即興的言語運用が多いので、目標言語が母国語でない教師には、正否判断が大変

第４段階への状況変化は、私たちが「英語教育論」の根底に横たわる前提条件を再検討し、「教えること」と「学ぶこと」に関するパラダイムを転換することを求めている。

私たちは今日的課題として、「英語を学ぶ」から脱皮し、「英語で学ぶ」、「英語を使って実践する」への変化を実現させる必要に迫られているのである。

第2節 「第二言語」としての英語

“The Native Speaker of English” とは誰のことか

私たちはよく、日本人がネイティブ・スピーカーの英米人「並み」に英語をマスターすることは、絶対に不可能であるとか、英語は幼児早期に習わないかぎり、正しい発音は決して身につかない、とか口にする。一方で、日本語は世界でも特殊な言語であるから、外国人には習得不可能だ、ともいう。ところが、この10年来、加速する日本の国際化のなかで、来日する外国人で短期に日本語を、私たち「日本人並み」に、「自由」に、「自然」に、「正し」く使いこなす人の数が、驚くほど増加している。そうかと思えば、日本人でありながら、日本語が正しく使えない若者が増えている、と嘆く人もいる。また他方では、日本人で「英米人並み」に英語を自由に話したり、書いたりできる人が、最近では珍しくない。

このような状況のなかで提案された、東後勝昭氏の「自然な英語」についての考え方、すなわち「コミュニケーションとしての機能を果たしている」ことばとしての「自然な英語」論は、かなりのインパクトを日本人にあたえたはずである。それにもかかわらず、英語学習については、相変わらず旧態依然とした考え方の教師があとを絶たず、ことに言語学者や英語教師のなかにさえ多数そうした人物が見受けられるのは、残念としか言いようがない。

ところで、よくよく考えてみるに、「英米人並み」とか「日本人並み」とは、どういうことを指しているのだろうか。

英語を学習中の日本人は、よく「ネイティブ・スピーカーのように、英語が使えるようになりたいなあ」と諦め顔でつぶやく。あるいは、英語の語法で迷うと、英米人に尋ねては「ネイティブ・スピーカーがそう言ったから」と安心顔をする。

だが、35年ほど前の1986年5月5日号のTimes誌に掲載された米国教育局の調査結果では、すでに、米国人の8人に1人が英語を正しく使えない、とされていた。これは、アメリカの複数の教育機関における私の指導経歴と、ロサンゼルスの研究所で私が行ったリサーチの結果とも、ほぼ一致している。

そのうえ、日本語同様、英語にも「標準的英語」とされているもののほか、地方方言がある。一口に英語の「ネイティブ・スピーカー」といっても、本人の年齢、出身地、学歴、教養、社会的階層によって、「使う」英語、あるいは本人が「使いたい」「使っている」と意識している「ことば」としての英語には大きな差があるのだ。したがって、「ネイティブ・スピーカー」の英語がつねに正しく、真似してよい、とは限らない。

考えてみると、言語は誰でも「学習」によって身につけるものであり、「遺伝的」に身に備わっているものではない。したがって、「然るべき仕方」で学習すれば、日本人であっても「英米人並み」に英語を身につけることが十分に可能である。また、英語の背後にある文化や習慣といえども、「学習」によって身につけるものだ。英米の雑誌、新聞、小説、書物、映画、衛星放送、テレビ、インターネットなどを利用すれば、日本にいながらにして、それを身につけることも不可能ではない。

それにしても、英語を読む、書く、聞く、および文化・習慣はそうして習得できたとしても、英語の発音から「日本人訛り」を除くことは容易ではない、と信じている日本人が多い。ところが、1978年にカナダの言語学者G•ノイウェルト（Neufeld, G.）が興味深い実験を行った[6]。日本を全く知らないカナダ人からなる被験者グループ（年齢や学歴はさまざまである）に、日本語の短期集中訓練のあと、一人一人に日本語の会話と朗読をテープに吹き込ませ、その録音を「ネイティブ」の日本人に

6　Neufeld, G., 1978, “On the Acquisition of Prosodic and Articulatory Features in Adult Language Learning,” *Canadian Modern Language Review*, 34: 163-174.

聞かせた。

その結果、45%の録音の主を、日本人に違いないと「ネイティブ」の日本人は判定している。この実験結果は、「然るべき」仕方で「正しく」耳と発声器官を訓練すれば、年齢に無関係に、誰でも「ネイティブ・スピーカー並み」の発音を身につけうることを証明するものとして、いまだに注目を集めている。

ところで、私たちが「ネイティブ・スピーカーの英米人並み」と言うとき、それはいったい誰のことを指しているのだろうか。そして、その場合「〜並み」(「英米人並み」、「日本人並み」) だと感じさせる根拠とか、基準とかがあるはずだが、あるとして、それはなんなのだろう。変形生成文法の創始者であるチョムスキーが主張している、いわゆる「ネイティブ・スピーカーの直観 (The Native Speaker's Intuition)」だろうか。そうだとして、その直観はどのように形成され、いつ、どのような仕方で働くのだろう。そして、発音、文型、意味、語彙などが「それらしく」感じられたり、見えたりするためには、どのような条件が必要なのだろうか。私たちはこうした点について、かなり「こと」の本質から外れた考え方に囚われてきたように思える。

インド生まれ、北米在住の言語学者にして、著名な英語辞書の編集者であるT・M・パイクデー (Paikeday, T. M.) は、「ネイティブ・スピーカー」を、次の二通りの意味に、とりあえず定義している[7]。

第一としては、「ある言語を母語 (mother tongue) または第一習得言語 (first-learned language) として身につける人」、第二としては「ある言語の有能な話し手 (competent speaker) であって、その言語を慣用に則って (idiomatically) 使う人」というのが、その定義である。

---

7 Paikeday, T. M., 1985, *The native speaker is dead!*, Paikeday Publishing.（松本安弘ほか訳，1990年，『ネーティブスピーカーとは誰のこと？』丸善.）

ここでいう “idiomatically” とは、「一つの構想を表現するために、ある言語の単語を互いに繋ぎあわせる一般的な配列」(“Webster's New World Dictionary”)、あるいは「ある言語に特有にみられる統語上、文法上、構文上の形式」（“Webster's Ninth Collegiate Dictionary”）に則って、という意味で使う、とパイクデーは補足している。この定義は、とりあえず大筋では、多くの方に容認されうる範囲のものだといえよう。

さて、ここで素朴ながら、根本的な問いを発しておいてもよいかと思われる。通常、私たちは「ことば」を駆使してコミュニケーションを図っている最中に、自分の使っている「ことば」を「意識」するものだろうか。また、もし「意識」するときがあるとすれば、それはどのような状況においてなのだろうか。

私たちには、常に学習の対象としてしか向きあったことのない外国語としての「英語」を考えだけでなく、わが「母語」である「日本語」の場合について、それがどうなのかを考えてみる必要があるだろう。このことについて、「第一言語」「第二言語」「母語」という観点から考察を進めてみたい。

「第一言語」と「第二言語」

40年ほど前から、英語について、English as a “Second Language” という呼び方が、一般にも使われるようになった。しかし、その「第二言語（Second Language)」とは、いったいどのような言語のことをいうのだろうか。

むろん、「外国語」とは何か、という議論もあるだろう。だが、ここではごく常識的な意味で、ほとんどの日本人が英語をはじめとする諸外国の言語のことを「外国語」と呼んでいるのにならうことにする。そうすると、「第二言語」とは、一言でいえば、「外国語」ではない、ということになる。

「第二言語」とは、自分のことを自由自在に口に出して、相手に伝えたり、知らせたりすることのできる「もうひとつの言葉」というほどの意味である。日本に生まれた日本人であれば、これはもうやむを得ず、たまたま「日本語」と名づけられている「ことば」で、自分のことを表現する。そして、その表現の上手下手はあるにせよ、知識や教養に関係なく、ともかく自分のことを相手に伝達できる「ことば」として、このようなものをふつう「母語」ともいう。そして言語学者はこれを「第一言語」とも呼ぶ。

だとすれば、あとは簡単である。「第二言語」というのは、もうひとつの「第一言語」ということになるだろう。もちろん「第一言語」とは違った体系、約束ごとをもった、もっと別の「ことば」であることは当然だが、それも「第一言語」と同じように、自分のことを表現するための道具として使われるもの、ということになろうか。

さて、眼を世界に転ずると、現在、地球上では10億以上の人びとが、2ヵ国語以上の言語を流暢に話す、といわれている。

たとえば、フィリピン諸島では、地域の社会活動に積極的に参加しようとすれば、3ヵ国語を話す必要がある。フィリピン人は、社会参加のために、公用語であるピリピーノ語（タガログ語を基にしたフィリピンの国語)、87の地方語のいずれかひとつ、他に英語かスペイン語を話さなければならない。

オランダやイスラエルなどの小さな国の児童の多くは、最低ひとつ、ときには複数の外国語を学校で学習しなければならない。オランダ人の場合は、オランダ語以外に、かなりの人がドイツ語、フランス語、英語を話すことができる。

英語以外の言語に関心を示さないことで悪名高いアメリカ（合衆国）人でさえ、1980年代後半の段階で、国民の約10%が、日常生活で英語以外の言語を最低ひとつ話すことができたという(1987年度のアメリカ合衆国「教育統計センター」資料による)。

おそらく、今日、ますますグローバル化されていく社会環境において、社会生活を営むためには、世界中のほとんどの地域において、最低2ヵ国語、場合によっては3～4ヵ国語を話す必要がある、ということになるのではなかろうか。

「第一言語」と「第二言語」の習得過程の差

神経言語学の研究によると、複数の言語を操れる人は、「一言語使用者（monolingual）」より脳を多く使用することがわかっている（Albert and Obler, 1978）[8]。十分な根拠はないが、「第二言語」を駆使する人びとは、「一言語使用者」よりも、脳の多くの部位を使うようである。アルバートらは、さらに、「多言語使用者（polyglot）」の脳（3ヵ国語から26ヵ国語を話す人びとの脳）に関して、検死研究を再吟味したところ、「多言語使用者」の脳の特定部位は特に発達しており、かつ襞（ひだ）が極めて多い、ということも明らかにしている。

一方、心理言語学者の研究によると、「二（多）言語使用者」は「一言語使用者」よりも、ことばの使い方が巧みであり、かつ言語的な抽象化能力の発達がはやいようである。たとえば、リリアとラポータ（Lerea and Laporta）[9]やパーマー（Palmer）[10]らの報告によれば、「二言語使用者（bilingual）」の方が、「一言語使用者」よりも、聴覚記憶が優れている。また、スロービン（Slobin）は、未知の語の意味を直観する能力では「二

8　Albert, M., & Obler, L., 1978, *The bilingual brain: Neuropsychological and neurolinguistic aspects of bilingualism*, Academic Press.

9　Lerea, L., & Laporta, R., 1971, "Vocabulary and pronunciation acquisition among bilinguals and monolinguals," *Language and Speech*, 14: 193–300.

10　Palmer, M. B., 1972, "Effects of categorization, degree of bilingualism and language upon recall of select monolinguals and bilinguals," *Journal of Educational Psychology*, 63: 160–164.

言語使用者」の方が優れている、と結論づけている[11]。フェルドマンとシェン（Feldman and Shen）は、低所得者層においては、「一言語使用者」よりも「二言語使用者」の方が、新しい表現の習得に関しては優れている、ということを明らかにしている[12]。さらに、ピールとランバート（Peal and Lambert）は、抽象的な表現能力では、10歳でフランス語と英語の両語を話す児童の方が、同年齢の「一言語使用者」よりもかなり優れている、と結論づけている[13]。

それでは、「第一言語」と「第二言語」の習得過程のちがいについて、多少専門的に触れてみたい。

「第一言語習得」の過程は、きわめて例外的な場合を除けば、シンプル（単一的）である。世界中で行われている「第一言語習得」は、典型的には「母語習得」の過程としてとらえることができ、すべて基本的には、同じ傾向と特徴を示している。つまり、個別言語に関する知識をいっさい持ちあわせていない幼児が、特定の言語の話されている環境のなかでコミュニケーションを図る、という条件下で、自然に（「獲得言語」を意識することなしに）その特定言語を習得していく、というのが共通した特徴といえるだろう。

したがって、幼児は意図的にその言語の規則体系に注意を向けることがない。同時に「1語発語」から「2語発語」へと移っていくように、その発達過程も共通しており、ほぼ全員が5～6歳ぐらいまでに、その言語の基本を習得するといわれている。この意味において、「第一言語習得」には、まさにこれこそがその「典型」であるといえる型がたしかに

---

11 Slobin, D. I., 1968, “Antonymic phonetic symbolism in three natural languages,” *Journal of Personality and Social Psychology*, 10: 301-305

12 Feldman, C., & Shen, M., 1971, “Some language-related cognitive advantages of bilingual five-year-olds,” *The Journal oJ Genetic Psychology*, 118: 235-244.

13 Peal, E., & Lambert, W. E., 1962, “The Relation of Bilingualism to Intelligence,” *Psychological Monographs: General and Applied*, 76: 1-23.

存在するように思われる。

一方、「第二言語習得」とは、「第一言語」の基本的項目、構造を獲得したあとで、5歳それ以降に開始される、第一言語以外の言語の習得を意味する。研究者によっては、このプロセスを「同時言語習得（simultaneous acquisition）」と呼ぶ。あるいは「二言語習得（bilingual acquisition、幼児期から2つの言語を同時に習得すること）」と区別するために「逐次言語習得（sequential language acquisition）」と呼ぶ向きもある。明らかに幼児は、同時に2つの言語を習得する場合、「第一言語」の獲得をコントロールする原理・原則を2つの言語習得に適用することができる。

ここでいう「第二言語習得」とは、「目標言語圏（a host language environment、たとえばアメリカにおける英語）」において新しい言語を学習する場合と、「外国語圏（a foreign language context、たとえば日本における英語）」において新しい言語を学習する場合と、それぞれ両方を意味する。

したがって、「第二言語」としての英語（English as a "Second Language"）というときには、「目標言語圏」・「外国語圏」の両方を意味する。そして、ここで論議される原則は、そのいずれにも適用しうるものである。ちなみに、「目標言語（target language）」とは、学習・習得・教授の「目標」となる言語のことである。

「母語」らしさを決めるもの

さて、私たちは、もの心ついたときには、すでに「ことば」をしゃべっていた。むろん「ことば」をしゃべっている、という自覚もないままに、である。しかも、あとでその「やりとり（対話）」を想い起こそうとすると、どういうわけか、使った「ことば」とか「やりとり」の内容よりも、そのときの「対話」の雰囲気とか気分のようなものしか、記憶に蘇ってこない。そこには、明らかに「ことば」が介在していたはずなのに、「ことば」に関する記憶はこれっぽっちも存在しない。

子どもは「対話」のなかにおいて、「ことば」に出会う。なのに、なぜか「ことば」についての記憶は残らない。たぶん「ことば」による「対話」が、「身体的」な表現活動の一つにほかならないからであろう。子どもは「対話」のなかにおいて、はじめて「生きたことば」を聞き、そしてそれを理解する。

英語を母語とする人びとと実際にやりとりをしてみると、彼らの間であっても、発音や流暢さに大きな個人差があることに驚かされる。あるいは、アメリカでメキシコ系の人が使う英語を聞くと、私たちが「これは酷い」と感じることすらある。しかし、彼らに「その英語はおかしいのではないか」と尋ねてみれば、彼らは「そのような違いは感じない」と平然と答えるのである。強いていえば「彼らはそういうしゃべり方なのだ」ということで、発音などは全く問題にならない。

私たち日本人にも、関東と関西の間などで今も話し方や発音の違いが存在する。しかし、対話に当事者として参加し、やりとりの内容に意識が向いていれば、お互いの発音の差などを顧みることはないはずである。

ある言葉を母語とする人びとは、無意識のうちに、文法や文型に関しておかしいと感じられるような話し方をしない。また、話し方が正しいかどうかは、意識しなくてもわかる。このことを、チョムスキーは「ネイティブ・スピーカーの直感」と表現した。ネイティブ・スピーカーには、この直感が例外なく備わっている。

それでは、ネイティブではない者には、この直感が身につかないのか。この点に関して、チョムスキーの理論は母語に対象が限られており、触れられることがない。

ネイティブ・スピーカー同士の対話では、端から見ればなまりが酷くても、やりとりをしている当事者同士は内容に意識が向いているため、全く気にならない。もし発音や流暢さの違いが見えて気になるとしたら、それは実のところ、その対話の場に自分が参加していない状態にあることを意味している。このことに、第二言語を母語なみに身につけるために必要となる条件が含まれているのである。

「話し言葉」と「書き言葉」

また、日本人が英語を「第二言語」として習得するにあたって、もうひとつ考慮しておかなくてはならない側面がある。それは、「話し言葉（Spoken Language）」と「書き言葉（Written Language）」の違いである。

これまで、「書き言葉」とは、「話し言葉」を文字で書き表したものである、という説明が主としてなされてきた。そして、多くの場合、そこで話は終わってしまう。これまで、第二言語習得において、「話し言葉」と「書き言葉」とは一緒くたに扱われてきたのが現状であった。

しかし、私たちが「書き言葉」を通して表現しようとする事柄と、「話し言葉」を通して行われる日常的なやり取りの内容とでは、その性質が大きく異なるものだ。

まず、「話し言葉」が使われる場面は、時間と空間が共有され、「状況の文脈（context of situations）」が成立している状況にある。たとえば、家庭内で交わされる会話では、「ご飯をあと3分の1杯ぶんほしい」などと伝えることはなく、「ちょっと多め」といった表現のように、なるべく言葉を使わないで手短にすませることができる。この「話し言葉」を特徴づけるものは、

①気心の知れた者との、一対一のやりとりであること
②相手とともに、なじんだ状況のなかで、その状況に関してなされるやりとりであること

が挙げられ、この2つの特徴は、ともに密接に関連している。また、「気心の知れた者」とは、ほとんどの場合、「生活状況」を共にしている者の

ことである。したがって、コミュニケーションは、共通の状況把握を前提にしてなされうることになる。

先の「コミュニカティブ・アプローチ」風にいえば、ネイティブに触れてインタラクティブなコミュニケーション過程を通過することが肝要、というようになっているのだが、それはどこまでいっても「話し言葉」ベースの世界である。

一方、いわゆる語学研修ではなく、英語で授業を受け、テクストを読み、それをまとめ、レポートを書き、発表し、議論するような、いわゆる「本格」的な学習を果たす場合、あるいは英語を通したビジネスの場合にはどうであろうか。

これらは、不特定多数を相手にしたり、きわめて抽象的な内容を扱ったりするが、そこでは時間と空間が共有されていない状況、つまり「状況の文脈」が成立する以前のところで言葉が交わされることになる。このようなときに用いられることばは、一見「話し言葉」に見えるだろう。しかし実のところ、それは書くように話した「書き言葉」であるといえるのだ。この「書き言葉」の特徴を挙げると、次の3点に集約できる。

①具体的現実状況を離れた、間接的な（時間・空間的に離れた）ことがらを語れるし、伝えることができる
②未知の人、他人、そして一人でなく不特定の大勢の人にも語れるし、伝えることができる
③話し手は、相手の適切な受け答えに促されてではなく、独力で話を論理的に、わかるように組み立てていかねばならない

実際、「書き言葉」は、時間的・空間的に隔たった、つまり状況を共有しようのない人に物事を伝えようとする。だから、①と③の条件が満たされ、言葉が「脱状況化」、つまり、いつでも、どこでも通用するようになると、それは「書き言葉」「話し言葉」のいずれかにかかわらず、誰に

でも伝わることばになっているのである。

さらに、主語・目的語が明確で、助詞・助動詞・接続詞などがはっきりしてくれば、「状況は言葉だけの文脈でわかる」ようになり、言葉は自立的になってくる。「脱状況化」とは、言葉の「自立化」のことなのだ。

第3節　地球語としての英語

人間は意味世界の住人である

さて、ここまでの検討をふまえたうえで、英語を「もう一つの第一言語」（＝「第二言語」）として学び直すということについて考えていきたい。

私たちのまわりを見わたしてみよう。私はいま、6人用の木製のテーブルに向かって、この文章を書いている。テーブルの上には、数えきれないほどの書物が散乱しており、私はそのすき間をぬうようにして、ペンを走らせている。

テーブルの上には、ほかに、数本の色ちがいのボールペン、携帯電話、まるい小さな置き時計、遠近両用の眼鏡、健康茶の入ったペット・ボトル、コーヒー・カップ、ティシュー・ペーパー、私塾Neo ALEXの春のチラシ、卓上カレンダー、手帳、ごま入りのお菓子、メモ帳、辞書類、エアコンのリモートコントローラー、椿の花が2輪さしてあるグラス、……ありとあらゆるものが置かれている。

たしかに、ヘレン・ケラーのいうように、「物には名がある（Everything has a name）」。名前のついた「物」がほかの「物」と分節化されており、「物」と「物」との関係があり、さまざまな「動き」や「働き」や「変化」が観察される。たしかに私たちは、そうした「物」や「事」について語りあい、考えをめぐらせ、日々を生きている。ここでいう「物」や「事」は、すでに意味づけされた何か、である。

一方、外界の（まだ名をもたぬ）モノ・コトは、人間がそれぞれに注視し、「何か」として意味づけすることなしに、人間にとって意味ある「物」や「事」にはならないのも事実である。

たとえば、お茶を飲みながら、ふとテーブルの右前方の向こう側の壁に目をやると、あるモノが目に入ってくる。そして私は「あんな所にカレンダーがあっただろうか。あれはたしか、一昨年にあの会社からいただいた古いものだ」と考える。このとき、私は、それを「カレンダー」として把握する。そして、私がそれ（モノ）を「カレンダー」と呼び、さらに「カレンダー」と意味づけすることによって、それ（モノ）が、私にとって利用価値のあるものになったり、厄介なものになったりするのである。

このように、私たちの意味世界は、語ることにおいて、そして語ることを通して構成される、といっても過言ではないだろう。私たちは、ともすると、意味世界なるものが主体を離れて実在すると考え、その構造を、すでに構造化された母語の意味世界として明るみに出そうとする思いにかられる。しかし、私たちにとって意味世界が立ち現れるのは、つねに「今・ここ・私」のコンテクスト内であり、その立ち現れ方は「局所的（local)」なのである。

そして、「人間が真空を嫌うとすれば、心は無意味なものを嫌う」（『機械の中の幽霊』）とアーサー・ケストナーが語っているが、私たちの周辺には、なんらの「物質」にも満たされていない真空はほとんど存在しない。わずかでも真空状態があれば、そこには常になんらかの「物質」が侵入しようとする。

同様に、私たちの心の世界は「意味」で満たされていて、どこかに無意味なすき間があれば、ただちにこれを埋めようとする。まるで昔の人が暗闇のなかに無数にちりばめられた星を結んで星座を描き、そこに神話の物語を語ったように。

「意識はつねに何ものかへの意識である」とは、フッサール現象学のよく知られた基本テーゼであるが、ここで「意識」とは、つねに何かを志向の対象にしていなければならないことがいわれている。実際、何ものも対象としてもたない、純粋な「意識そのもの」といったものが、どこかにあるわけではない。

「意識」はつねに、それ以外の何かに向かい、それに働きかけるからこそ、それとして存在しうるのであり、そして、その志向の対象がここでいう「意味」として立ち現れることになる。

私がいま原稿を書くために向かうテーブル、座っている木製の椅子、目の前にある原稿用紙、ボールペン、テーブルの端の電気スタンド、テーブルの左右と後ろ側には本棚とたくさんの本、床に脱ぎ捨てられたジャケット……。こうした、ごくありふれた「もの」が、私の意識を占めるかぎりで、まさに私にとって一つの「意味」をなしている。

テーブルも椅子も、少なくとも、いまの私の「意識」のなかでは、単なる木片の塊ではなく、やはり「テーブル」であり「椅子」なのである。そして、「ものの意味」とは、大ざっぱにいって、こういうものにほかならない。

さらに、周囲で起こる出来事についても同じようにいえる。犬が皿に首をつっこんで、餌を口に運んでいれば、それは「食べる」という意味の出来事であり、花壇のなかで妙に踏ん張っていれば、それは「排泄する」という意味の出来事であり、飼い主の足下に身体をすりつけていれば、それは「甘える」という意味の出来事である。このように、周囲で起こる種々の出来事が、一つひとつそういう「ことの意味」として私たちに見えるのである。

また、私自身の行為についても、たとえば私が椅子を立って部屋をでるのはトイレに向かうためであり、流し台のところに行くのはコーヒーをいれるためであり、あるいはなんとなく本棚から本を取り出すのは、仕事に飽きたためである。こういうふうに自分自身の内側から意味づけ、動機づける「ふるまいの意味」がある。こうしてみると「意味」はまるで空気のように、私の周囲をおおい、私自身をおおっていることになる。このことは、あまりにも当たり前すぎるほど当たり前で、平凡な事実にすぎない。

しかし、これらの「意味」のうちで、生まれたての赤子の段階から、すでに獲得されていたものが、いったいどれだけあるのだろうか。机をはじめてみた赤子が、それを「机」とわかるものなのだろうか。いや、わかろうはずもない。それは、木片、つまり切れはしとすら見えないであろう。なにしろ赤子は、木が木であることすら知らないはずだから。

むろん、目が見えるかぎり、そこには視界を遮蔽する物体が見えるであろうし、また表面のつやを帯びた光沢も見えるはずである。あるいは手で物に触れることができるかぎり、そこに行く手を遮る何かを感じ、その表面の木目を触知することもできるだろう。しかし、そのように物体としての机を感知することはあっても、「机」としての「意味」を把握するということはできない。

このことは、机にかぎらず、私たちを取り囲んでいるごく平凡な「意味」のほとんどにあてはまるのである。

人は、一生を通じて、多くの「モノ」「コト」「ヒト」（他者）とめぐりあい、そのうちのいくつかの「モノ」「コト」「ヒト」と「意味ある関係」を築いてゆく。そして、「意味ある関係」を築く方法は一様ではない。それは、人の成熟とともに多様になってゆくものである。人は、対象への直接的なかかわりから始まって、具体物をイメージで表した「表象の世界」を確立する。さらに、具体的な世界を論理的に一貫したかたちで整理することによって、記号やことばによる「抽象の世界」を築き上げてゆく。そして、ことばによる「抽象の世界」を築き上げることによって、現実の目に見える世界（閉じられた世界）から、思考という目に見えない（開かれた世界）へと飛躍することができるようになる。

言語を通して形成される知性

また、「ことばの世界」は、人びとが成長とともに手にするようになる対象や他者へのかかわりあいの道具であり、他者との意味の共有を可能にするもの、すなわち「コミュニケーション」を可能にするものにほかならない。

第1章でも述べたように、「コミュニケーション」とは、対象の意識化、他者の意識化の結果として生じるものである。人が「モノ」、「コト」や「ヒト」とかかわりあい、そのかかわりあいを共有し、通じあっていこうとするとき、こころは「意味」を求め、そこに「コミュニケーション」が生まれる。

子どもは、母語の基礎的な体系を身につけると、自らことばを話しはじめる。そして、いったん自ら話しはじめると、まわりのおとなもびっくりするような早さで「コミュニケーション力」を身につけてゆく。子どもがコミュニケーション力を急速につけてゆくのは、この時期の子どもが、環境に興味を示し、環境に積極的に働きかけ、社会性を発達させてゆくことと大きな関係がある。子どもの養育者は、このころの子どものもつ積極性という心性を愛情で受けとめ、子どもの社会性の発達を支えながら、子どもに楽しい気分を起こさせるように話しかける。そうすることによって、子どもの聞く力、話す力は着実に高まってゆく。

ことばという伝達手段を手にした子どもは、ことばで他者に積極的に働きかける。子どもにことばで働きかけられたまわりの他者は、ことばで子どもに応答する。こうして、子どもは、ことばに浸る環境を自ら創りだしてゆくことになる。ことばの環境に浸ることによって、子どもは聞いてわかることば（理解語彙）、および、自ら話せることば（使用語彙）を、相乗的に増加させてゆく。

やがて、子どもは話せるようになると、文字にも興味をもつようになる。さらに、文字が読めるようになると、文字を書くことにも興味を示すようになる。文字が読め、書けるようになるころ、人は内面の感情を表現するようになってくる。

子どもが内面の感情を表現するようになるのは、子どものなかに、自分という意識が芽生えはじめていることを示している。そして、自分という意識が芽生えるとともに、人は意識的な「学びの世界」へと入ってゆくことができるようになる。

こうして、「書き言葉」を知るようになると、人は自分の内面の感情を「しこり」として意識するようになる。これは、自分の内面の世界が確立しはじめたことを示すものだ。こうして、人は、意識的な学びの世界へと入っていく準備が整う。

さらに小学校に行くようになると、子どもを取り巻く世界は一変する。それまでは養育者と一体化し、養育者の身体やこころを通して表現された世界に住んでいた子どもは、今度は、自分の身体を通して、世界を受けとめる。子どもは、学校で、一人の「人間」、あるいは、一人の「社会人」として扱われる。それとともに、子どものこころのなかには、他者とは異なる「自分」という意識が生まれてくる。この「自分」という意識が芽生える度合いに応じて、子どもは意識的に学ぶことができるようになる。

小学校での学びは、すべてが「ことばの学び」であるといってもよい。社会科では社会現象のしくみを、理科では自然現象のしくみを、それぞれことばを通して学ぶ。そして、ことばによって、世界を知り、人の考えを知り、人との関係を結べることを体験し、ことばの役割や意味を感じとる。

ことばの大切さ、楽しさを感じとった子どもは、読む力をつけ、内容を読みとることができるようになる。こうして、子どもは、情報を読みとる力――「リテラシー（literacy、文字言語処理力）」――を発達させてゆく。

人の知的操作の基本は、情報を読みとる力である。リテラシーが身についてゆくことは、知的操作、すなわち、情報間の関係を理解する「理解力」、情報の真偽を判断する「判断力」、さまざまな情報を組み合わせて、自己の視点から情報を創りだしていく「創造力」などがついてゆくことを意味する。

「読む力」とは、書かれた文章の世界に入り込み、書かれた文章によって意味された世界の構図を理解する力である。また、「書く力」とは、自己の意味世界を、他者にわかりやすいように、ことばの論理性を用いて構成する力である。

従って、「読む力」「書く力」がつくということは、現象間の関連性を理解する「理解力」、現象間の関連性を構成する「創造力」がついてゆくことを意味する。リテラシーの発達によって、人は社会性を発達させ、知的能力（認知機能）を発達させてゆく。

人は、リテラシーを習得した程度に応じて、認知機能を発達させる。認知機能が発達することによって、人は、他者との関係をより的確に理解し、他者との関連性のなかで、自己（アイデンティティー）を確立することができるようになってゆく。このように考えると、言語能力の発達とは、人のこころの発達にほかならないことがわかってくる。

乳幼児期にことばを使いはじめた人は、学童期・青年期を通して、ことばを使うことにより、ことばに支えられ、自己の世界を築いていく。人は成長とともに、ことばの豊かな使い手になった度合いに応じて、世界を知り、自己を十全に生きることができるようになっていく。つまり、英語を「もう一つの第一言語」（「第二言語」）として学び直すということも、人が英語によって自己の世界を築き上げ、開かれた世界を知り、他者とのかかわりのなかで自己を確立していく、ということを意味するのである。

世界知の獲得と「地球語としての英語」

前節までに述べたように、私たちの今日的課題は、「英語で学び」、「英語を使って実践する」という姿を実現させることである。そのために、私たちは、英語を「第二言語」として学び、英語を通して「知を創造」する経験を、世界の人びとと共有しようと試みていかねばならない。

現在、私たちは、日々、膨大なことばにさらされて生きている。コンピュータ技術の開発により、ことばの交換される空間的範囲は飛躍的に広がり、そのスピードは飛躍的に速まってきている。

世界は、今、文字通り、ことばの網の目──「インターネット」──でつながれるようになった。人類の叡智は、地球の裏側にいる人たちとも、ことばで関係性を結ぶことができるような仕組みを創り上げたのである。

地球上に網巡らされた情報のネット──人はこのネットのおかげで、世界中の人びとと関係性を結ぶことができるようになった。私たちは、今、電子メールやインターネットを利用すれば、時空を超えた世界へと旅立つことができるような時代を生きている。ことばを駆使すれば、世界とコミュニケーションを行い、より深い意味の世界を生きてゆくことができるのである。

いまや英語は、単に入試や留学だけの問題だけではなくなっている。インターネットを介して、世界中の情報やマーケットが、一般家庭、個人にまで入り込んでくる時代である。その情報の大部分は、いうまでもなく英語で書かれている。したがって、そのコンテンツを素早く正確に処理できる能力は、そのまま個人の力量、コミュニケーション力に直結していく。

「地球語としての英語（English as a Global Language)」を介して「コミュニケーション」を実現する能力が、経済や人材マーケットにおける競争力の最大の源泉となる、そんな社会が到来しているのである。

第3章

「学び」の源泉を求めて

第１節　「リテラシー」の危機

「教養世界（リテラシー）」の崩壊

現代社会において、メディアの高度化と多様化、グローバル化は、容赦なく進んでいる。郵便、電話、FAX、コンピュータ（インターネット）、テレビ、ラジオ、ビデオ、新聞、雑誌、書籍、映画、CD 等々のメディアを介して送られてくる情報量は、1996 年の段階で、すでに 4.32 × 1017 語（＝ 43 京 2000 兆語）という桁外れの量であった。そして、10 年後の 2006 年には、その情報量は 2.29 × 1020 語（1996 年の情報量の 530 倍）に達したのである。また、この「選択可能情報」は、前年度対比で 47.3％も増加している[1]。

一方で、一人の人間が習得し、活用する語彙の量は、4 ～ 6 万語程度であるといわれている。だとすれば、あまりに膨大な量の情報が、現代の「情報社会」を複雑に構成しているということになるだろう。

いったい、このような社会のなかで、現状の私たちは、どの程度の「知識」を、個人と社会にあって学習すべきなのか。しかも、それを「共通教養」（「リテラシー」）として、どのように定義づけたらよいのか、いずれにせよ、定めがたい状況にある、といえるだろう。

ところで、この「高度情報化社会」といわれている今日、「学ぶ」とは、最新の知識を次々と吸収していくことにほかならない、という通念が広まりつつあるように思われる。そして、「生涯学習」という言葉のなかには、そのようなニュアンスも含まれている。

たしかに、現代の科学・技術の成果と情報網の発達には、目ざましい

1　総務省情報通信政策局情報通信経済室，2008 年，『平成 18 年度版情報流通センサス報告書』.

ものがある。そして、それと同時に、生涯にわたって「学び」続けていかないと、次から次へと産出される情報の海に放置され、ただ、いたずらにさまよい、時代の流れから取り残されていきかねない、と感じられる向きも、たしかにある。

人が何かを「学ぶ」ということは、本人にとって、未知の知識を「知る」ということを必ず含むものである。しかし、人が「学び」の過程で「知る」対象は、けっして情報化された「知識」(活字によってパッケージ化された知識)に尽きるものではない。つまり、ある「対象」についての情報化された「知識」を所有することと、その「対象」自体をよく理解することとは、けっして同一ではないのである。

情報の大暴発的な膨張と反比例するかのごとく、人びと、特に子どもたちの「リテラシー」(文字・活字を使いこなせる能力と、そうした能力を中心に形成されている文化=文字の文化)への渇望観は、大幅に衰退している。その端的な証拠として、年々深刻化する「勉強」嫌いの増大や、「読書離れ」とがあげられるだろう。特に中学生・高校生の活字離れは著しく、毎日新聞が1955年以来、毎年おこなっている「学校読書調査」によると、調査開始当初の1955年には、月に一冊も本を読まなかった中学生は、わずか3.7%でしかなかった。しかし、1977年の調査の段階でこの数字は55%にまで達し、さらに、月に一冊も本を読まない高校生は、70%にも及ぶありさまであった。

いったい私たちは、本を「楽しみ」のために読むものなのだろうか。それとも、「教養」を身につけたり、「賢く」なるために読むものなのだろうか。

私たちは、現在、人間の「全体性」や「自己完成」のモデルを提示できない時代に生きている。つまり、「教養」もしくは「教養主義」が崩壊しているのである。私たちは、19世紀初頭のゲーテやW・v・フンボルトのいうように、ギリシャ語・ラテン語を中核とした森羅万象の知識を構造的に身につけて、自己のうちに小宇宙(ミクロ・コスモス)を築きあげていく、そのような全人的な「自己完成」の可能な世界に生きているわけではない。

「自己完成」のモデルがまるで見えないところで、それでもなお、人が「学ぶ」のは、つきつめていえば、二つの理由しか残らない。

一つは、「仕事」あるいは「勉強」の必要上、やむを得ず学ぶという学び方である。会社の営業マンであれば、営業の仕事に必要な知識（販売商品の品質、商法・経済的知識、対人関係の知識やコミュニケーションの技術など）を仕入れ、「自己啓発」にはげむ。また、学生であれば、課題レポートを書くためや、就職試験の準備のために、本を読む。つまり、仕事や「勉強」というさし迫った必要性が、本人に勉強を強いるのである。

もう一つの「学び」は、仕事、勉強、教養といった、あらゆる社会的効用を排除して、ただ自分のための「愉しみ」だけのために本を読むという学び方である。それによって、「賢くなろう」「教養をつけよう」といったことを意識せずに、自分にとって面白い本を、純粋な「愉しみ」だけのために読むのである。ここには、生産性や効率の論理で組織された公的世界から隔絶した私的世界だけは、なんとか自己充足的（consummatory）な「知的快楽」を確保したい、とする読書人のささやかな抵抗がみられる。

こうして、「教養」という人間の「自己完成」へのモデルが崩壊した後に残る「学び」の形態は、結局のところ、「実用知」と「耽溺知」に大きく二極分化していく。要するに、「役立つ」か、「面白い」か、それだけが残るのである。

しかし、問題なのは、その二つの「知」が、かつて「教養」が充足していた人間の欲求をすべて満たしてくれるのだろうか、という点にある。「教養」の中核は、ゲーテの『ファウスト』にみられるように、「自己完成」への強い欲求であった。そのモデルが崩壊するということは、「自己を成長させたい」「自立して生きたい」とする人間の根源的欲求そのものが、表出の場を失うことを意味する。

「教養」の瓦解と「知識」の情報化

このような状況のなかで、いま学校教育、民間教育には、何が求められているのだろうか。

それについて、ひと言でいうことは難しい。あまりにも大きな社会変化の波が、学校を中心とした教育機関という「小舟」に打ち寄せてきているからである。それは、東西「冷戦構造」の崩壊後の「南北対立」という新たな様相であり、政治・経済・産業・文化における「近代化」のゆき詰まりであり、そして、また「高度情報社会」の出現でもある。

このようにして目まぐるしく変化する社会状況のなかでは、近未来の一つの社会モデルを想定して、子どもを指導していくことは、ほとんど不可能であろう。未来そのものが不透明で、見通しにくい時代だからである。近年、未来への展望を明示できず、「自ら学ぶ力」や「社会の変化に主体的に対応できる力」といった、内省的な「学び」ばかりが求められていることは、そうした混沌とした時代を反映しているともいえる。

しかし、ここには、文明論的な意味で、さらに根本的な問題が潜んでいるように思われる。学校で、かつてのように系統的な「知識」や「教養」よりも、「自ら学ぶ力」が求められるようになったということは、それだけ「知識」が、普遍性や体型性の支柱を喪失してきた、ということを暗示している。

それでは、この普遍性にとって代わる「知識」の基盤とは、いったい何か。そして、いま、学校教育・民間教育に期待されているものは何なのか。

かつて「教養」といえば、一つの専門に囚われず、諸科学の基礎をまんべんなく修めることであり、それによって偏りのないグローバルな視界を身につけることができる、と見なされてきた。そこには、諸科学の学習を通じてこそ、全体的な「知」が獲得できるという、リベラル・アーツ以来の、ほとんど信仰に近い前提があった。あの「ドイツ的教養(deutsche Bildung)」の理念が、それである。

「マクロ・コスモス」としての知識体系を、個人が内面化し、自己の内部に「ミクロ・コスモス」を再構築していくこと、これが、つい最近まで信じられてきた、学問による人間形成の理念であった。

しかし、戦前はもとより、戦後50年近くも続いたこうした崇高な「教養」の理念も、その実態を見れば、断片的知識の切り売りと寄せ集めにすぎなかった、という事実を、戦後に大学に通った者なら知らぬ者はいない。

科学史家の米本昌平は、山崎正和の「『教養の危機』を超えて」[2]を要約しながら、「確実に進むアノミー（社会規範の崩壊）の形がつかみきれないまま、20世紀末の時間だけが流れてゆく」として、以下のように述べている。

> 山崎正和氏は、……職能としての知識人の再定位を試みながら、彼らの危機感の無さに警鐘を鳴らす。かつて明確な輪郭をもっていた教養とは、近代国家が有用性という観点から、学校制度や大学という形で取り込んだ知識の周囲を縁どる余白であった。制度によって権威づけられた少数の知識人が生み出す産物を、大衆との中間に立つインテリゲンチアという階層が熱心に吸収しようとしたものが、教養に他ならない。
>
> だが今世紀に入って、知識が体系性を失い、世界の証明原理であることをやめ、政治的な歴史観も否定され、教えるべきもの、学ぶべきものの自明性が失われはじめたのである。さらに高度成長期以降、大学の大衆化が進み、インテリゲンチアが消失した。知識は啓蒙

2 『This is 読売』1999年3月号，読売新聞社.

という押しつけがましいものから、情報へと鋳なおされ、市場を流通するものとなった。そのような状況下での知識人の役割は、信念を普及する者から、世界や歴史をより精細に解釈してみせる技芸で勝負する、職能となる。知識の市場化が不可避である以上、知識人は相互批判によって質を保持して、新しいギルドとして再生せよ、と説く。

(朝日新聞「論壇時評」1999年2月26日)

体系的で、巨視的な「教養」が瓦解し、代わって微視的な「自ら学ぶ力」が求められるようになったこと、これには大きく言って、二つの理由があげられる。

第一に、近代文明のゆき詰まりのなかで、「近代化」や「社会主義」といった、これまで人びとを魅了しつづけてきた「大きな物語」(J・F・リオタール、Lyotard, J. F.)の「神話」が、ことごとく崩壊し、諸「知識」を統合する魅力的なパラダイムが、すっかり影をひそめてしまった現実がある。それは、よく言われるところの「イデオロギーの終焉」などという政治的な現象ではなく、そもそも世界を意味づける「体系」そのものの崩壊という世紀末的現象である。

第二に、1980年代からの「高度情報社会」の出現が、こうした教養主義的な「学び」観の陳腐性を暴き出したことである。情報社会は、実生活で「役に立つ」情報を、次々と提供することで、意味や体系を放逐してきた。

こうして、今日では、「知識」は体系的な柱をすっかり失い、バラバラの「情報」として散在するようになった。現在の子どもたちは、むろん大人たちも同様であるが、無数に断片化された「情報」の破片の飛び交うなかで生活しているのである。「大きな物語」の衰退と「高度情報社会」の出現。こうした二つの事態が相まって、一つの「コスモロジカルな知」を構築する支柱そのものを解体させてきた。

いまや、「知識」は、空中に舞う花びらのように、四方八方に散り、無数の断片と化すに至っている。現在、私たちの周辺では、飛び散った花びらを、一枚でも多くかき集めようとする「収集家」的な「学び」や、誰かが拾い集めた出来あいの花模様を、そっくり模倣する「猿まね」的な「学び」が盛況である。「物語」の崩壊は、結局、このようないじましい状況を露呈させたにすぎない、といえる。

滅びゆく思考力

かつて、教育心理学者のJ•M•ハーリー（Healy, J. M.）が、脳生理学や神経言語学の知見をもとに著した本に、“Endangered Minds: Why our children don't think”[3] がある。このなかで、ハーリーは、アメリカの子どもの読み書き、思考力の危機と、その問題への処方箋を述べている。そして、「学力の低下」「テストの成績に何が起こっているのか」に論究した後、最近の学力の危機における証拠のひとつは、「読み」能力の水準にある、とした。彼は、「読み」能力の低下は、教師や雇用者の悲鳴をすでに引き起こしているが、一般の人びとの大部分、ましてや当事者である子どもや生徒・学生たちは、それに気付いていないとして、次のように教師らが語る事例を挙げた。

・現在の高校3年生の一部は、1970年の中学卒業生よりも低い読みの能力で卒業するだろう。
（国語教師、郊外の高校、バージニア州）
・私の生徒、あの子たちは「読む」ことなど、いっさいしませんよ。「読む」などという文化は持ちあわせていませんから。あの子

3　Healy, J. M., 1990, *Endangered Minds: Why Our Children Don't Think,* Simon and Schuster.（西村弁作・新美明夫訳，1992年，『滅びゆく思考力』大修館.）

たちは、「話す」とき以外に、「言語」を使うことはありません。自分たちの中心となる文化自体が、言語の細やかさに無頓着だからです。教室でよく「読める」生徒をつくるなんて、私はそんな望みはもっていません。社会全体が読める人間をつくれないでいるんですから。

むかしは、チャールズ・ディケンズの『二都物語』を中2のクラスで使ったものです。今では、3年生に用心深く読ませている始末です。また、読めたとしても、前後の関連や意味がわからないと思います。特に微妙な意味はわからないでしょうね。その文章は、彼らにとっては外国語のようなものなんですから。

（国語教師、私立学校、オハイオ州）

そして、これらの事例を証拠として示しながら、J・ハーリーは、以下のように述べている。かなり長い引用になるが、重要な部分なので、省略せずに用いることにしたい。

今日、アメリカの読み書きのレベルは、急速に低下している。これに対して、ビデオとコンピュータの技術は、すこぶる強力なものとなっている。そのために、「読み」という行為が、ほとんど崩壊しかかっているほどである。アメリカにおける「読み書き」のできない人口の比率は、かなり危険な高さになっており、2300万人以上のアメリカ人労働者が、就職競争に必要な「読み書き」の技能に事欠くありさまである。これは、社会的に見ても、驚くべきことである。しかも、「読み書き」のできる者でも、「読み書き」そのものへの興味とその力は落ちており、活字の読める者までが、活字を読まなくなっているのである。若者の90%は、簡単な文章であれば読むことができる。しかし、大多数は、小学生レベル以上のテキストの理解が困難であったり、単純な事実を越えて推測したり、著者の力点や主張の流れをたどったり、自分自身の考えを支持する事実を述べる、といったことが難しくなっているのである。国家レベルにおいても、地域のレベルにおいても、教授法が改善されているにもかかわらず、他の科目と同じように、大学生の「読み」に関する能力と関心は低下している。「全米学力向上調査」の最新の報告によると、大学で長く使われてきた題材を満足に理解できたのは、高校卒業者のわずか5%のみであったという。

状況はさらに悪くなっている、と思われる。新しい世代の教師たちは、その多くが読むことが嫌いであるし、できることなら、読まずに済ませようと思っている。ケント州立大学の児童文学コースの2人の教授がおこなった研究では、「望ましい教師」のあり方に、驚くほどの大きな変化が認められる。「全般にほとんどの学生が、読みについて否定的な態度をもって、このコースに入ってくる。端的に言えば、このコースの主たる内容である文学、子どもや青年にとって好ましい書物に対する考え方は、否定的である」。教師の卵の1/4以上は、「活字に対する生涯にわたる嫌悪感」を告白している。しかも、その原因が、国語の時間に配布された試験や、レポートを準備する知識の載っている参考書や、粗雑な副読本によるものだ、と考えているのである。そして、この報告は、けっして極端な例ではない、ということを付け加えておく。

こうした若者たちは、自ら苦汁をなめさせられた高度の「読み」や「推理」の技能だけでなく、「読み」そのものについても、自分自身の否定的な態度を、次の世代に伝えていくことであろう。これは、彼らの住んでいる社会そのものを反映しているといえる。アメリカ人は全般に、書かれた言葉には、あまり関心を示さない。たしかに、教育上、意味あるものであれば、どのようなものでも子どもに与えたい、と望む裕福な親たちを対象とした児童書籍の販売は増大しているが、実際には、当の子どもがそれを読むかどうかは、だれも確信がもてない。よく本を読む子どもは、生活の中で読書を大切にしている家庭の子どもであることは、疑う余地のない事実である。だが、ほとんどの親は、自分自身では読書をしないのである。つまり、アメリカで出版される書籍の80%は、わずか10%の人にのみ読まれているにすぎないのである。

ニューヨーク大学のバーナイス・クリナンによれば、アメリカの読者層の比率は、段々小さくなっているという。しかも、21歳以下の読者の数は、確実に少なくなっている。クリナンは、小学5年生で構成される大きな集団に対して、読書の平均時間を尋ねているが、次のとおりである。

1日4分以下	50%
1日2分以下	30%
まったく読まない	10%

一方、この子どもたちは、1日に平均130分もテレビを見ている。実に残念なことである。クリナンが指摘するように、子どもたちは、本をたくさん読むことによってのみ、よい子で、洞察がきき、分析的な判断力のある読者になれるのである。

クリナンはさらに、われわれの社会は、だんだんと「読み書き」をしない社会になっている、と指摘している。「ここで『読み書き』をしない人というのは、『読み方』は知っているが、本を読まない人のことです。新聞の見出しだけを追い、テレビのスケジュールだけを眺める人がいます。この人たちは楽しむための読書をしませんし、情報を広く読みとるということをしません。『読み書き』をしない人は、字が読めず、『読み書き』のできない人よりは、豊かであるとはいえるでしょう。しかし、『読み書き』をしない人は、過去や現代の偉大な小説を読み損ねたり、また政治問題を分析した記事を読み損ねることになります。『読み書き』をしない人は、ニュースをテレビで見て知るのです。しかし、テレビのニュースキャスターの原稿は、『ニューヨーク・タイムズ紙』の記事の2段分にしかすぎません。『読み書き』をしない人は、ニュースの上面を、ただ撫でているだけなのです。」

アメリカにおける主要な読者層は、確実に年老いてきており、若返りの兆しをみせてはいない。「ノース・ポイント・プレス紙」の編集主幹、ジャック・シューメーカーは、最近こう指摘している。

「大手の書店をいくつか調査すれば、すぐに、10代や20代の読者があまりいないという私の見方が証明されると思います。これらの書店は、30代後半から50代半ばまでの読者層によって、ほとんど支えられているのですから。」

それほど極端でないにしても、同種の傾向は、ほかの国々でも生じはじめている。日本人はよく本を読む国民であるが、日本の出版業者は、ハードカバーの売り上げが落ち込んでいる、と報告している。日本の文芸評論家は、若者が以前の世代ほど、文学に興味を示さないと嘆いている。

国外からも、同じ嘆きが聞こえてくるが、とくにアメリカの出版社にとっては、読者が危機に瀕していることに関心を払わざるをえない特別の理由がある。アメリカの書籍販売高は、世界第24位であり、新聞販売では、すでに主導権を失っている。1975年以来、54の日刊紙が廃刊を余儀なくされ、1000人当たりの新聞販売部数は、日本の半分でしかない。写真の多い雑誌や、健康、ホームデザイン、オートバイ、コンピュータ関係のテクノ雑誌が、新聞雑誌販売店の店頭には、あふれている。

この問題は、「読む」ことへの関心が低いということだけでなく、貧弱な「読みの技能」しかもたない学生が増えている、ということとも関係がある。興味深いことに、これらの学生の多くは、自分に問題があることに気がついていない。コミュニティ・カレッジに入学した443名の学生の調査では、恐ろしいことに、50%は中学3年以下の読みのレベルであって、さらに読みについて特別の指導が必要と感じている者は、80名に過ぎなかった。小学3年から中学2年のレベルまでの得点しかとれなかった221名でさえ、そのうちの178名は、自分が上手に読めるものと思っている有様である。

（引用者改訳、pp.17-22）

アメリカにおける「リテラシー・ムーブメント」

アメリカにおいて、「識字（literacy、リテラシー）」の獲得の問題をめぐって危機的な状況が指摘しはじめられたのは、'70年代後半以降のことである。そして、その理由の一つが、黒人ないしはヒスパニック系・アジア系の新しい移民の間に顕著にみられる、「文盲率」の高さであった。地域によっては文盲率が50%に迫るところもあるといわれ、とりわけ、成人の5人に1人が占める「機能的文盲（functional illiteracy）」の問題、すなわち社会生活上で必要不可欠とされる英語の「読み・書き」能力の欠如は、彼らの失業率の高さと、それにともなう貧困・犯罪・麻薬のような一連の社会問題に関わる問題として、関心を深めていったのである。

だが、'80年代になると、「リテラシー」の問題は、「機能的文盲」の問題に限定されない、別の広がりをもつようになっていった。これが、「文化のリテラシー（Cultural Literacy）」の問題である。

「文化のリテラシー」とは、概略すれば、旧来の“3R's”（reading, writing, reckoning〔arithmetic〕）を中心とした、日常生活の道具とみなされる「リテラシー」とは異なり、アメリカ国民であることを証明する国民的アイデンティティとしての「リテラシー」である。これは、あらかじめ体制化されたアメリカ文化の構造に参入していくためには、一定の共通の意味や価値をもった知識を、誰もが身につけておくべきである、という考えに基づくものだ。学校教育は、このような「リテラシー」を、次世代の人びとに確実に伝達していくことを通して、統一的な国民文化の基礎を形成する役割を果たすように期待されてきたのである。

こうした「文化のリテラシー」論の背景には、多民族国家アメリカの複雑な現実がある。アメリカ的生活様式とは異なった生活様式をもつヒスパニック系やアジア系の新移民の大量流入は、アメリカ社会の統合力をいっそう失わせるものとして、アメリカへの新たな同化の問題を認識させるに至っている。1960年代から'70年代にかけて、多民族国家の現実への対処という点に関しては、リベラリズムの「文化的多元論」あるいはL・E・ラス（Raths, L. E.）らのいう「価値相対主義」が、アメリカの思想界の一つの有力な流れを占めてきたといってよい。これに対して、価値観の統合や文化的一体性を強調する「文化のリテラシー」論は、そのような「価値相対主義」の精神に対抗する思想の一種として、'80年代以降、急速に力を得てきた。

そこでは、「文化のリテラシー」の内容として、アメリカ建国以来のWASP（white, Anglo-Saxon, Protestant）を中心としたアメリカの文化的伝統、その源流としての西洋文明の遺産を重視し、子どもの自発性を重視する進歩主義教育を批判し、「人文諸教科」、とくに歴史および古典文学を重視すべきことを主張するなど、全体として伝統主義的な傾向が顕著である。

「文化のリテラシー」

この「文化のリテラシー」の主張は、これまでの教育改革運動に一石を投じて、かなり大きな波紋を投げかけることとなった。

ところで、「リテラシーの危機」が叫ばれるようになることと、「文化のリテラシー」なる「リテラシー」観が生まれる背景とは、軌を一にするもののようにみえる。たとえば、『文化のリテラシー』[4]の著者、E・D・ハーシュ（Hirsch, Jr., E. D.）は、じつに単刀直入の議論を展開した。彼は、「文学」と「読み・書き」とを区別しない伝統的教育へ戻ることが、識字率を高め、将来を担う子どもたちのモラルを向上させることだ、と主張する。E・D・ハーシュが「文化のリテラシー」と呼ぶ概念は、「読み・書き」の技術を教える内容から切り離し、普遍的な技術として教えてきたことが、逆に識字率を下げ、SAT（Scholastic Aptitude Test）の得点の低下を招き、アメリカを危機に陥れた元凶だ、とする主張から生まれたものなのである。

識字術（リテラシー）を中立で、普遍的な技術として扱ってきた流れを「教育的形式主義（educational formalism）」と呼んで批判し、「リテラシー」は、教える内容、とくにモラルの向上を担う文学の正典（literacy canon）と切り離さないで教えることを求める。そのような方法で教えられる、（主流派文化に生きる）アメリカ人として必要な、アメリカの主流派文化の背景となる知識を、「文化のリテラシー」と呼ぶのである。

アメリカの教育改革論議のなかで、「文化のリテラシー」論がひとつの有力な議論として台頭してきたのは、レーガン政権が2期目に入る1985年頃からであった。これには、レーガン政権3期目の教育長官、W・ベネット（Bennet, W. J.）の存在が多少なりとも影響している、と考えられる。W・ベネットは、教育長官就任以前に出した『遺産の復権』[5]という報告書のなかで、大学教育において、「文化のリテラシー」の観点から、古典を重視した学習を共通必修とする改革を主張した。また、『ファース

---

4 Hirsch, Jr., E. D., 1987, *Cultural Literacy: What Every American Needs to Know*, Houghton Mifflin.（中村保男訳, 1989,『教養が、国をつくる。―アメリカ建て直し教育論』TBS ブリタニカ.）

5 Bennett, W. J., 1984, “To Reclaim a Legacy: Text of Report on Humanities in Education,” *Chronicle of Higher Education*, 29: 16-21.

ト・レッスンズ』[6]においては、初等教育についても同様の改革を主張している。

こうした「文化のリテラシー」の観点からの教育改革論議が、一般の知識人や市民間でも広く話題となり、注目を集めるようになったのは、1987年に出版されてベストセラーとなった2冊の著書、アラン・ブルーム（Allan Bloom）の『アメリカン・マインドの終焉』[7]と、E・D・ハーシュの『文化のリテラシー』によってである。

前者はもっぱら「高等教育」を、後者は「初等・中等教育」をそれぞれ論じている、という点に違いはあるにせよ、ともに「新保守主義」の立場から、従来の「価値相対主義」や「リベラリズム」の教育に対して、強烈な批判を加えるものである。また、「人文諸教科」を中心とした規範的知識の教え込みを強調している、という点で、共通性をもつ。この「文化のリテラシー」論は、国民的教養の中身を確定することを通じて、共通価値に裏づけられた国民的一体性の確立、すなわち「ナショナル・アイデンティティ」の確立をはかろうとするところに、その本質がある。

しかし、ここで価値の中核が、アメリカの民主主義的伝統それ自体におかれている以上、「文化のリテラシー」論が抱く民主主義観がいかなる性質のものであるかは、当然、検討されなければならない。しかも、その際、「文化のリテラシー」論がこれまでアメリカの民主主義的伝統の主流とみられてきた「リベラリズム」の精神に対して、反イデオロギーとして登場してきている点に留意すべきであろう。

---

6 Bennett, W. J., 1986, *First Lessons: A Report on Elementary Education in America,* U.S. Government Printing Office.

7 Bloom, A., 1987, *The Closing of the American Mind: How Higher Education Has Failed Democracy and Impoverished the Souls of Today's Students,* Simon & Schuster.（菅野盾樹訳，1988年，『アメリカン・マインドの終焉』みすず書房.）

「リテラシーの危機」は存在するか

スティーブン・D・クラッシェン（Stephen D. Krashen）は、第二言語習得理論「ナチュラル・アプローチ」の提唱者として世界的にも著名な学者である。その彼が1993年に出版した"The Power of Reading"[8]は、言語（教育）学者の側から提示された「リテラシーの危機（Literacy Crisis）」への具体的な処方箋とでもいうべきものである。そのことは、同書の原著版の裏表紙に印刷された'LITERACY AND LEARNING' —The Crisis and the Cure—（「リテラシーと学習」——危機と解決法——）という見出しからもみてとれる。

クラッシェンは同著の序文で、「いったい、リテラシーの危機などというものが存在するのだろうか」と問うて、概略、以下のように述べている。

クラッシェン自身が「リテラシーの危機」なる言葉をはじめて耳にしたのは、1987年のTV番組をきっかけに、「読み書き」のできない人間のおかれている悲惨な状況がTVドラマ化され、Dennis Weaverが主演をつとめたり、"Stanley and Iris"が放映されたりした時期であった。こうして、一連のTVショーやドラマ、さらには新聞、雑誌などに取りあげられたお陰で、多くの人びとは、世の中には完全な文盲状態の人間がかなり存在し、公立学校では「読み書き」のできない若者が大量に生み出されている、という印象を与えるに至っている。それと同時に、「読み書き」不能の状態は、音読指導によって、つまり「フォニックス」の指導を行うことによって直すことができる、という印象も広がりつつある。

しかし、クラッシェンによれば、この2つの印象は、いずれも間違っ

8 Krashen, S. D., 1993, *The Power of Reading: Insights from the Research,* Libraries Unlimited.（長倉美恵子ほか訳，1996年，『読書はパワー』金の星社.）

ている。第一に、「リテラシーの危機」なるものは、少なくともマスコミが描くようなものとしては、存在しない。まず、今どき、完全な文盲は、ほとんどありえない。つまり、現状のアメリカ合衆国の教育課程を通過した者で、「読み書き」がまったくできない人は、まず存在しえない、といってよい。むしろ事実としては、「読み書きの基礎能力」と定義づけられる「リテラシー」は、アメリカにあっては、過去100年にわたって、着実に上昇しているのである。

ただし、問題はある。たいていのアメリカ人は、「読み書き」はできるが、たくみではない。アメリカ人のリテラシーの基礎能力は、過去1世紀の間に上昇しているが、さらに、それを上回る勢いで、リテラシーへの需要は急激に増加している。しかし、多くの人が、近代社会の要求する複雑なリテラシー能力を発揮できるほど、「読み書き」ができるわけではない。

かくして、クラッシェンによれば、このような「リテラシーの危機」の解決策は、ある活動を行うことにつきるとされる。すなわち、多くの人の日常生活にあって、残念ながら、きわめて稀なことと化してしまっている「読書」という活動である。クラッシェンは、しかも、ある種の「読み」――“Free Voluntary Reading”（FVR、自発的「自由」読書）を提案する。このFVRとは、読みたいから読むという読書である。学校の子どもたちにとっては、読書ノートを書かないでよい、一章読むごとに練習問題が出されない、一字一句を気にしなくてもよい読書である。「自由読書」とは、「読みたくない本は読まず、別の読みたい本を選ぶという読書」である。

「リテラシー」が意味するもの

さて、1970年代のアメリカのマスコミや教育界、あるいはユネスコのような機関で用いられた“Literacy Crisis”なる言葉は、「読み・書き・そろばん」の基礎としての「リテラシー」（＝「識字術」）を獲得する機会を奪われてきた個人の側から発せられたものではなく、むしろ、政策立案者の立場から見た現状を指す言葉として使われていたものといえる。すなわち、「リテラシーの危機」の認識は、国家を支えるための「機能的リテラシー（Functional Literacy）」が危機的状況にある、という認識から生まれたものである。

ちなみに「機能的リテラシー」とは、単なる読み・書き・計算能力にとどまらず、社会・文化・経済の発展に必要欠くべからざる要因としての「リテラシー」のことを指す。そして、その危機を打開する鍵は、いわば社会の「常識」としての「文化のリテラシー（Cultural Literacy）」を、主に「学校教育」を通して教えることであるとして、「リテラシーの危機」に関する議論は、「教育改革」に関する議論へと広げられることが多い。また、発展途上国における「リテラシー教育」も、国家の発展のための「リテラシー教育」を効果的に行うために、「機能的リテラシー」を獲得させる努力をするものであるし、いまや国民の半分が「機能的リテラシー」をもたない、とされているアメリカの場合も、その打開のためには「教育改革」を行う必要がある、という議論へと導かれる。

ところで、「リテラシー（literacy）」という言葉は、いまでこそ「読み・書き能力」とか、「識字能力」などと訳されているが、この言葉自体は、もともと学校用語として成立している。

「読み書きができる」という意味の「リテレット（literate）」なる言葉は、「文学（literature）」から派生したもので、15世紀から用法が見られる。一方、その反対語である「イリテレット（illiterate）」という言葉は、「教養がない」という意味で、17世紀あたりから使われている（“Oxford English Dictionary” を参照）。しかし、当時の用法を見てみると、シェークスピアの戯曲が読めないと “illiterate” とされていることからしても、相当の「教育水準」を意味していたものと思われる。

そして、「リテラシー（literacy、識字能力）」という言葉は、かなり最近の用法であるということができる。「リテラシー」とは、もともと、文字や活字で構成された書字文化を意味しており、その教養を意味していたものとして理解すべきであろう。この「リテラシー」という言葉が最初に登場するのは、O.E.D によれば、1883 年にマサチューセッツ州教育委員会の発行した教育雑誌 “New England Journal of Education” においてである。

> The quality or state of being literate; knowledge of letters; condition in respect to education, esp. ability to read and write.
>
> N.E.J.E. XVII.54
>
> “Massachusetts is the first state in the Union in literacy in its native population.”

上に見られるように、「リテラシー」という用語は、公立学校の制度的整備に伴って登場したのであり、学校の扱う「公共的な知識と技能」を意味していた。すなわち、義務教育において教育すべき「共通教養」を意味するものとして、公共的な生活世界への参加を準備する学校教育の「共通知識」を示す概念として成立したのである。

さらに、「リテラシーの危機」について議論されるときに注意すべきは、個人の側からみた「リテラシー」は、国家の側からみた「リテラシー」とは異なる、という点である。つまり、「リテラシー」をめぐっては、さまざまな立場があり、それに基づいて、それぞれのいだく「リテラシー観」が異なるのである。

特に、「識字術」としての「リテラシー」を獲得する機会を奪われてきた者からみた「リテラシーの危機」とは、主流派社会が求める「機能的リテラシー」が、彼らに対して制度としての「リテラシー」の暴力となってしまっている、という事実である。そして、このように「リテラシー」が、合法的暴力システムとして機能するようになったのはなぜか、また、それが学校教育の歴史とどのように関係があるのか、といったことを考える必要がでてくる。しかし、この点についての考察は別の機会に譲ることとしたい。

変化する「リテラシー」の基準

ところで、なに故にアメリカにあっては、既述のとおり、あれほどまでに「リテラシーの危機」が声高に叫ばれるのだろうか。

これについて考える際、一般に「リテラシーの危機」に言及するにあたってさほど表だって意識はされないが、念頭においておくべきことがある。それは、国民が「読み・書き」できるようになるにつれて、「リテラシー」の基準も上がる、という歴史的事実である。

国家ないしは社会の求める「リテラシー」の基準が上がれば、当然、その基準に沿った識字率は下がる。「リテラシー」に関する初期の歴史的研究では、「自分の名前が書ける」ことが「識字術」としての「リテラシー」を獲得しているかどうかの基準である、としたものもあるほどだ。しかし、現代のアメリカで、また日本で、あるいは先進国といわれる多くの国々で、「名前が書ける」かどうかが「識字率」をはかる基準である、とする国はないであろう。

最近、日本でもよくいわれる「情報リテラシー」とか「コンピュータ・リテラシー」などにみられる「リテラシー」という言葉は、従来の「リテラシー」という概念が伝えてきた能力と同じものを指すのではない。また、それは従来「機能的リテラシー」といわれてきた「識字能力」としての「リテラシー」とも異なるものである。このような新しい「リテラシー」は、「論理的・分析的思考」を可能とする高度な「認知能力」を必要とするものであり、「リテラシー」の基準は、社会的・経済的な変化とも密接に関係するものだ。

「リテラシー」の基準が、つねに変わるものであることは、フランスとアメリカの事例から見てとれる。

フランスでは、一般国民に対する最初の国家的規模の教育計画は、1795年に始まった。それは、軍隊に入る若者には基本的な教育が必要だとする、軍隊が求めるテクニカル・リテラシーを身につける必要性から始まったものだという。それまでは、初等教育と教会主導の宗教的教育が結びついていたが、1881年から1882年にかけてのフェリー法による教育改革によって、その結びつきが解かれるようになった。この時点で、はじめて学校に通うことが義務とされるようになり、その年齢も14歳までとされる。そして、第一次世界大戦の頃までには、14歳の子どもたちの多くは7年間の初等教育を終えることができるようになり、教育改革の成果は明らかであった。しかも、このシステムが、フランスにおけるフランス人の考え方や行動の現代化に大きな役割を果たしたといわれている。

このシステムを通して、一般国民に期待されたのは、単に文字が読めることだけではなく、それまで一部のエリートにのみ求められていた「テクニカル・リテラシー」の修得である。それは、つまり、理論的知識と問題解決能力の獲得であった。こうして、フランスにおける一般国民の教育は、教会主導の宗教色を失っていき、学校が国家的な視野から見られるようになって、とくに愛国心をもつことが期待されるようになる。そして、1789年から1914年の間には、基本的な「読み・書き」ができる者が、それまでの半分以下から90%へと上昇したという。

同様に、アメリカで「リテラシー」が国家的な問題になったのも、やはり戦争と関係がある。ロバート・ヤーカース（Robert Yerkers）の率いるアメリカ心理学会（American Psychological Association）は、「読み書き」のできると思われる者が受ける「アーミー・アルファ」と、できない者が受ける「アーミー・ベータ」という、一般的知能をはかるテストを開発した。1918年には、1700万人の男子がテストを受け、その30%が十分な「読み書き」ができなかったことから、「アルファ」を理解できなかったという。

この軍隊主導のテストの成功から、1920年代には、学校教育の現場で用いられる種々の能力の開発が行われるようになった。軍隊主導のテストにおける「黙読」によって、文を理解し、指示に従って問題に答えることは、その後開発された「読解能力」をはかる典型的な方法とされるようになった。「はじめて接するテストから意味を引き出して、新しい状況に適用する能力」が、新しい基準とされるようになったわけである。「識字術」を通して情報を得るという基準は、今世紀の、しかも最近の現象であるということだ。

機能的リテラシーの概念が、社会におけるリテラシーの重要性の認識の高まり、いわゆる「リテラシー意識（literacy consciousness）」の広まりと関係がある、と考えるのは自然である。G・J・クリフォード（Clifford, G. J.）も、このような「リテラシー意識」が生まれてきたのは、移民の識字調査や軍隊の要請に基づく、政治的かつ管理的発想と直接関係があったと指摘している。

このように、「リテラシー意識」の高まりとともに、リテラシーは単なる「読み書き」だけではなくなり、それを利用しての理性的・分析的かつ創造的思考ができるように教育することがアメリカの一般的教育目標となってきたという。その裏には、「経済リテラシー」とクリフォードが呼ぶ、産業界からの要請に基づくリテラシーが学校教育の目標となったという背景がある。その結果、職業訓練を主目的とする高校でも、カリキュラムのなかによりアカデミックなものを含む傾向が出てきたともいわれている。

このように、「リテラシーの基準」の歴史的変遷は、人びとの「読み書き」のレベルが上がれば上がるほど、社会の求めるリテラシーの基準も上がるということを教えてくれる。そして、多くの人びとが獲得できないようなレベルを設定しておくことが、結果において、それを獲得した者が権力を保持するために非常に有効であるということも証明されている。ちなみに「権力をもつ者」とは、為政者と非為政者、教師と生徒、雇用者と被雇用者、経営幹部と一般労働者、高度なリテラシーを身につけた生徒とそれをもたない生徒、というように、「リテラシー」にかかわるおよそすべての関係のなかに見いだされる存在を指す。

違わない日・米の「読み」の指導

S•D•クラッシェンの住むアメリカと違って、日本では、「リテラシーの危機」といった言葉を耳にすること自体が、稀である。日本の識字率は、ほぼ100%に近いとされ、マスコミも、アメリカのように「リテラシーの危機」を叫ぶことが、ほとんどない。

私は、1970年代以降、一貫して、「生活者にとって『学び』とは何か」という観点から、「学習」と「言語」と「思考」の問題について、理論と実践の両面にわたってリサーチする機会に恵まれてきた。しかも、日本とアメリカの教育のフィールドで、ワークショップや研究所の運営を通して、いまや「教育」と「学習」の問題は、世界的にして普遍的なものであることを痛感するに至っている。

アメリカの教育心理学者で、重度情緒障害児の治療•教育に従事したこともあるB・ベテルハイム（Bettelheim, B.）は、“On Learning to Read: The Child's Fascination with Meaning”[9]において、次のような警告を発した。

> いくつかの言葉が読めるようになることには、大きな喜びと満足がある。子どもは、それができることを誇らしく思う。しかし、い

9　Bettelheim, B., & Zelan, K., 1981, *On Learning to Read: The Child's Fascination with Meaning,* Alfred A. Knopf.（北條文緒訳，1983年，『子どもの読みの学習──よりよい国語教育を求めて』法政大学出版局）

くつかの言葉が読めるというわくわくした気持ちは、子どもにあてがわれるテキストが、際限なく同じ言葉をくり返し読むことを強いるとき、すぐに消えてしまう。言葉の認識は、意味をもった内容を読むことと直接結びつかなければ、空虚で機械的な学習に堕してしまう。

ドリルを主眼としたストーリーの内容が、馬鹿げていて退屈で、子どもの知能や自尊心や芽ばえかけた読解力にそぐわないものであるとすれば、折角の技術も、そのようなつまらないストーリーを読むだけのもので、無意味だ、ということになる。現在、この国（アメリカ）で用いられている読みの教え方は、読みの技術的側面の重視を特徴としているが、それは有害で、実際に、しばしば、子どもの読書や文字を楽しむ能力を破壊している。

（p.10）

「国語」の学習は、知的な営みであって、苦しみを伴うことはいうまでもない。しかし、日本においても、ベテルハイムが指摘するように、「意味をもった内容を読むことと、直接に結びつかない」ような、「空虚で機械的な学習」に陥っているところはないであろうか。あるいは、「ドリルを主眼とした」「技術的側面」が、無意味のうちに重視されすぎていないであろうか。

1つの教材に10数時間もかけた「読解指導」は、この延長線上にあるものである。子どもは、あからさまに表情には出さないかも知れないが、鮮度に乏しく、「本物」の学習実感を、「身体」で味わうことができず、退屈している。さらに、ベテルハイムは、既存の「読み」の教育について、つぎのように糾弾している。

こうした退屈な教科書（「ベイサル・リーダー」＝「スキル」を中心とした「基礎教科書」――引用者註）を使って読みを教える場

合、ふたつのことが前提になっている。「読む」ために必要な技術を、どんな方法で習得するにせよ、その技術さえ身につければ、時が経つうちに、自動的に子どもはリテレット（＝literate、「読み書きができる」——引用者註）になるということ。そして、多くの反復練習を通してのみ、子どもは単語を識別できるようになるということ。この2つの前提である。ところが、この前提は、両方とも間違っている。（中略）

現在のような「読み」の教え方のもたらす最悪の結果は、子どもが早い時期に、文字の読解のような技術だけが、読書の全てだという印象を抱いてしまうことである。ある目的があって、その達成のために特定の技術をもつことが望ましい、あるいは必要であるという場合、その目的をそこなわない仕方で、それが行われる限り、技術を教えることには、なんら問題はない。しかし、文字の読解や言葉の識別を教師があまりに強調すると——教科書の内容が空疎で、そのために意味に重点を置くことができぬ以上、教師が強調できるのは、そのことだけになってしまうのだが、子どもは、それだけが大事なのだと思ってしまう。

（pp.11-12）

必要とされる新たな「学習」観

私は、1975年から1985年までの約10年間に、私設の研究室・ワークショップにおいて、かつて自分自身も受けてきた小学・中学・高校時代の「教科」指導、とりわけ理科・社会・国語科系にあって、「正しい普遍的な解釈＝理解」にいかに到達するのか、というスタティックにして受動的な「読解」指導一辺倒の、特に国語（科）教育を問題視していた。また、「読解力をつけておけば、その力が読書力となり、すぐれた知性豊かな読書家が育つ」として、「読解指導」がひそかに隠している安易な前提を、実践的にも理論的にも批判してきた。そして、「ドリル」や「技術」(=「スキル」)の反復練習が、「国語(科)」の基礎をなす学習ではない、ということを、ワークショップにて実証し、それに代替するものとして開発・実践したのが、「文章『解読』アプローチ(Code-Oriented Approach to Learning)」である。

「文章『解読』アプローチ(COAL)」の最大の目論見は、「文脈に依存しない知識」が本当の知識であり、抽象化され、パッケージ化されて、いかなる所でもそれが取り出せて、どこででも通用するような「知識」を獲得することが学習である、という学習観を克服する道筋をつけることであった。

当時、一般的に、「知識」というものは、教科書・辞書・ハンドブック・マニュアルなどに書いてあることと同じであり、「頭のなかにしまってあるもの」というふうに信じられていた。こうした学習観が、極端なまでに推し進められたのが、まさに日本の高度経済成長期の1960年代後半から'70年代に流行した、プログラム学習やティーチング・マシーンであった。

これらは、行動主義心理学のモデルにしたがって、確実に、効率的に、望ましい行動の反応特性を学習者に獲得させ、パッケージ化した知識を身につけさせようとする。そして、そのような発想から、「学習」というものを「望ましい行動の確実な形成」として定義づけていた。この時代の学習論は、なんらかの原則にしたがえば、どのような内容でも着実に身につけさせる理論である、とされていたのである。

したがって教育とは、まず生徒が達成すべき行動(目標行動)を明確に打ち立てて、あとは、そこに近づけるために、学習論から導かれた「最適な教え方」によって、効率よく、確実に本人の身につけさせてゆくものである、と考えられていた。このような「プログラム学習」型の考え方は、現在でも、学習塾や個人や家庭に、それなりに受け入れられているCAI(教材)等々に、大きく影響を与えている。

簡単な問題をこきざみにあたえて、正答させ、そのつど「正答ですか」とか、「よくできました」というフィードバックをあたえていくと、どのような複雑な知識・技能でも、どの子どもにも確実に「身につけさせる」ことができる。このような「即時フィードバックの原理」は、現在でも、ドリル学習の基礎原理であり、最近はコンピュータ利用の学習支援システムにも、大幅に採り上げられている。

「基礎・基本」を身につける手段には、かならずといってよいほど「やさしい問題から、順に難しい問題に進む」という、階段を上がるように一歩一歩、練習問題を解いていくコースが設定され、それぞれの段階での「反復練習」が強調される。このようにして獲得された反応様式が、新しい課題状況でも発揮されることによって、基礎技能が「活用」できるようになるのだ、とされてきた。

「学習」というものが、このように「あとで役立つ」行動様式の積み重ねで構成される、という考え方を支えてきたのが行動主義心理学であった。この点については、第1章第2節に詳述したとおりである。

「学校化社会」のなかの「教育」

一方で、多くの人にとって、「教育」とは「学校教育」そのものを意味する。現代にあって「学校教育」は、それほどに肥大している。また、現代は「学校化社会 (Schooled Society)」とも呼ばれる。「学校化社会」とは、社会のなかで必要とされる一切のことがらが、「学校」において教えられるような「社会」のことをいう。

その際、「学校」で子どもたちの学ぶ範囲は、合理的に「カリキュラム化」された教科に関する知識だけにとどまらない。「学校」で習得されるものは、カリキュラムのようにはっきりとした形に示されなくとも、いろいろある。たとえば、定められた時間や約束を守らなければならないとか、大勢で集まったときには静かにする、などといった規律の類は、たとえ言葉で示されなくとも、「学校教育」の秩序だった生活を通して習得されるよう、「学校」では配慮されている。これを「隠れたカリキュラム（Hidden Curriculum）」と呼ぶ。

そして、このような事柄までを含めて、「社会」に必要なすべてのことがらが、「学校」において学習され（てい）ることになっている。このように「学校教育」が極端に肥大した「社会」のことを「学校化社会」というのである。さらに、これを見方を変えていえば、社会の「現実」そのものの方が、学校で身につけ、規律化された「秩序」によって、むしろ成り立っている、と見ることもできる。つまり、「学校化社会」という言い方には、そうした「学校と社会の関係が転倒した社会」という意味も含まれているのである。

ところで、「学校教育」の肥大化は、近代公教育の制度が普及し徹底していった結果、引き起こされたものである。したがって、この現象が起きている期間は、どんなに長く見積もっても、歴史的には、たかだか、ここ100年に満たない。否、前述した意味での「学校化社会」という現象は、高度経済成長以後の、わずか40～50年のことにすぎないと見たほうが、日本の現実に近いであろう。

したがって、すべての子どもが、一定年齢の相当長い期間を、学校という特定の場所・施設に強制的に「囲い込まれ」、一様・一律の教育を受けなければならないという現象は、人類史のパースペクティヴにおいて眺めたとき、ごくごく近年の、きわめて特異な事態に属する、と考えるべきであろう。

言い換えれば、「すべての子どもが、必ず学校に行かねばならない」とする近代公教育の思想は、長い歴史の目で見たら、つい今しがた出現した、しかも相当に偏った思想にほかならないのである。したがって、この公教育の制度を自明のものだと考えたり、最高の教育のあり方などと思う必要はまったくなく、しかも、今後も変わることなく永続すると考えるとするならば、それは錯覚にすぎない、と言わざるをえない。

現に、学校制度の過度の浸透により、「学校」が多くの問題状況に直面するようになって、いまや「教育荒廃」とか、「学校荒廃」、さらには「学級崩壊」「不登校」「中途退学」などといった、本来異様であるはずの言葉が、「学校」の内外にごく当たり前に飛び交うに至っている。行き詰まりの状況は、そこまで進んでいるのである。

この手詰まり状況は、小さな改革や修正で技術的に解決できる段階を、すでに踏みこえてしまっている。むしろ、近代の「学校」による公教育制度が、すでにその歴史的役割を終えたのであると考えるほうが、事態の打開には有効であるように思われる。

「学校知」と「生活知」の乖離

「子どもは、無限の可能性をもつ」とは、よく言われるところである。たしかに、ヒトのもつ「潜在的可能性」は、アヴェロンの野生児や狼少女の例をみるまでもなく、「よくぞ狼になった」と驚かされるほどの発達の可能性をもつ。だが、子どものもつ「可能性」は、ひとりで（自然的）に発達するものではない。狼少女も、狼の世界で育てられることによって、「生きる力」を獲得した、という事実も忘れてはならないのである。すなわち、子どもの発達の可能性を信じ期待することも大事ではあるが、同時に、その可能性を発現させる「環境（的条件）」のもつ意義の重大さにも注目しなければならない。

一方、教育は「人間らしい人間を育てる」ともいわれる。教育とは、「ヒトを人間として自立させること、つまり、ヒトのもつ『潜在的可能性』への働きかけ（指導）を通して、子どもたちが自らの人間的自立（一人立ちすること）を獲得させる目的的・価値的営み」であるとされるのである。

これまで「学校」は、子どものもって生まれた「潜在的可能性」をひとしく伸張させ、将来の生活に向けて、自らの学習の基礎となる能力を育てることを志向してきた。つまり、「学校」とは、日常生活に直接に役立つ能力を身につけるのではなく、将来の「生活力」の基礎的構成要素としての「学力」を身につける場なのである。

ところで、いま「学校」は、子どもたちをして真実に、「生きる力」を身につけさせているのだろうか。生きることの喜びや充実感、学ぶことの楽しさを与えているといえるのだろうか。あるいは、「学校」は子どもたちにとって、主体的な「学び」の場となっているのだろうか。「学校」で身につけた子どもたちの「学力」は、将来の「生活力」に真実役に立つのだろうか。

以上のような観点からみると、今日の日本の「学校知」(「学校文化」)の抱える問題点は、きわめて複雑多様であるが、端的に問題の所在を指摘するならば、それは今日の「受験学力」、そしてそれを支える「学校文化」と、子どもたちの「生活知」(「生きる力」)との乖離の問題に焦点化することができるだろう。

「学校」は、将来の生活に間接的な有用性(非日常性)を強調するあまりに、現実生活の課題や「事物そのもの」との直接的なかかわりを通して学習することよりも、それから抽出された「形式的知識」や記号についての記憶と操作能力を身につけることを重視してきた。そして、そのことの帰結が、知識はあるが現実に切り込む「深い学力」がない、「できる」が「わかっていない」、「頭ではわかっている」が「できない」と指摘されるような、学力の「モノ離れ」と抽象化の問題である。

こうした学力の抽象化は、一元的基準と尺度によって量的に測定される、いわゆる「偏差値的受験学力」において、よりいっそう加速化されていることは、いうまでもない。しかも、「受験学力」のもつ問題は大きい。それは、一方で1980年代にあって世界に誇れる「最高水準」にあるといわれながら、他方で、創造的思考力に欠ける「暗記主義的な学力」であると指摘されたように、「病んでいる」ことは事実である。

減退する学習意欲

1964年以来、世界各国の中学校1・2年生を対象として毎年行われている、数学と理科の「国際学力到達度比較テスト」がある。この調査において、かつて日本は、両教科の成績が、オランダとハンガリーに並んでいつも首位の座をしめていた。しかし、この成績は、1995年のテストにおいて、数学がシンガポール・韓国についで第3位、理科もシンガポール・チェコについで第3位へと、それぞれ転落してしまった。しかも、問題別に見ると、数学では「計算問題」はトップ・レベルだが、「論理的思考」を必要とする文章題になると、20%も得点が落ちて、テスト参加国41カ国の平均レベルに近づいていたのである。理科においても同様で、○×式や選択式の事実問題ではトップ・レベルの成績だが、環境問題の項目では平均並みで奮わず、論述形式の創造的思考や科学的思考を要する問題では、平均以下というものも見られた。すなわち、日本の生徒の学力は、暗記を中心とする「基礎・基本」ではトップ・レベルだが、創造的思考や論理的思考、科学的思考など高次の内容においては中位、もしくはそれ以下であるという結果を、このとき露呈したのである。

さらに深刻なことに、この「調査」で、日本の子どもたちの数学・理科の学力水準はトップ・ランクにあったにもかかわらず、両科目について「好きか・嫌いか」という質問では、数学においてチェコについで悪く、理科に至っては最下位という結果であった。つまり、教科嫌いは、世界一だったのである。

なお、1980年の第2回調査の段階でも、「文章題を解くこと」「方程式を解くこと」など4種類の学習活動を示し、それらについて「好き・嫌い」の程度を5段階で尋ねたところ、「大好き」または「好き」と答えた日本の中学生は25%で、すでに参加18カ国中、最低であった（国際平均は42%）。おなじく、数学の「勉強」について、「不安がなく楽しい」と感じている中学生は22%、高校生についても37%（国際平均は47%）で、いずれも最低である。また、数学についての自分の人生や日常生活にとっての「有用性」の調査でも、日本の生徒たちは、最も「否定」的反応を示していた。

このほか、1995年度の調査結果は、日本の生徒たちの学校外の学習時間（2.3時間）が、塾の時間をふくめても世界の平均（3.0時間）以下であり、シンガポールの1/3、韓国やアメリカの1/2近くであることも示していた。

このような調査から、日本の中・高校生たちが、数学はよく「できる」が、数学の「勉強」は嫌いで面白くない、と感じていたことがわかる。同じことは、他教科の「勉強」についても当てはまることであろう。つまり、日本の中・高校生たちにとって、学校での「勉強」とは、自分たちの日常生活や「生きる力」にとっては「役に立たない」ことを、「受験」のために「無理に努めること」として意識されてきた、と考えられる。

むろん、「勉強」には、受験とは関係なく、「学問や技術を学ぶこと」という意味もある。そこで、先の調査前後の期間に、子どもたちにとって、「学ぶこと」の意味がどのように意識されていたのかを、日本国内で実施された調査に基づいてみてみることにする。

「他者」となる子どもたち

神奈川県藤沢市教育文化センターは、1965（昭和40）年から5年ごとに、市内の中学3年生全員に、同一質問法で「学習意識調査」を行ってきた。このなかの「学習意欲」について、1990年夏に実施された第6回目の調査をふまえ、過去25年の中学生の学習意識の変容過程をまとめた報告書[10]がある。これによると、25年間の推移のなかで、中学生が大

---

10 藤沢市教育文化センター，1990年，「『学習意識調査』報告書」.

人の視界の内にあったものから、しだいに視界の外にはみ出していき、1990年の段階では、はっきり大人とは行動原理を異にする「他者」として歩きはじめていたことが、明瞭に見てとれる。

たとえば、生徒の学習意欲を調べる項目で、「もっと、もっと、バリバリ勉強したいと思いますか」という質問に対する回答は、1965年の調査では「はい」65.1%、「いままでくらいでよい」29.7%、「もう、うんざりしている」4.6%で、後の調査結果からみると驚くほど優等生的な回答が多い。ところが、その後、肯定的な回答は目立って減りつづけ、1990年の調査では「はい」36.9%、「いままでくらいでよい」40.9%、「もう、うんざりしている」21.5%という結果になっている。実に、5人に1人の生徒が、勉強に「もう、うんざり」している。しかも、学習に意欲をもてない生徒が、全体の約2/3にも達しているのである。

また、「勉強以外の自由時間がほしいと思いますか」という質問に対して、1965年の調査では「もっともっとほしい」32.5%、「少しほしい」61.2%、「ほしくない」5.1%、という分布であった。しかし、1990年の調査では、「もっともっとほしい」65.7%、「少しほしい」32.1%、「ほしくない」2.0%という結果になった。圧倒的多数の中学生が、切実に「自由時間」を求めるようになったことがわかる。

この調査で注目に値するのは、日本の高度経済成長期を経て、1990年にいたる25年の歳月のなかで、中学生の学習時間、学習意欲、自信、理解度、集中度のいずれの項目においても、低落傾向がはっきりと示されている点である。大人からみて、「望ましい傾向がすべて減少し、望ましくない事項がすべて増加するという事実」(p.24)が、生徒たち自身によって示されたことを、調査担当は認めている。

なかでも、学校での「勉強にうんざり」という生徒は、その25年で、4%から23%へと5倍以上に増えている。そして、この「勉強にうんざり」は、1970(昭和45)年にいったん減少するものの、1975(昭和50)年を境に、急激に増加に転ずる。また、この増加のグラフに、中学生の

「不登校」の発生数のカーブを重ねてみると、まったく同じような傾向を示す。

1975（昭和50）年といえば、高校進学率が90%を超えて、「高校全入」時代を迎えた時期である。こうした時期を境に、中学生たちの「学習意欲」の急速な減退や不登校数が増大したということは、何を意味するのだろうか。

「調査」の「まとめ」は言う。「学校の中では、学習意欲も、理解の程度も、気持ちの集中も、勉強についていく自信も、自宅での予習・復習も、低下減少を示している。そして、それを補うかのように、学校の外での学習塾その他の習いごとに通うことが常識化し、勉強以外の自由時間に対する生徒の願望が急激に増加している。……以前に比べて子どもたちの学習意欲が減退する一方で、子どもたちの成績は落ちているわけではない。学習塾が繁栄し、受験技術が高度化する中で、子どもたちは、点数をとる技術は身につけているものの、『勉強にうんざり』しているのである。……生徒の興味・関心・知識欲が学校の外に向けられているという現実、その意味では学校離れ現象ということも指摘できるのではないか。……問われるのは、生徒たちに夢や希望を与えられない大人社会の価値観の混乱、社会と学校文化のずれである。」

「近代化」型学校からの逃避

以上の調査やコメントは、現在にあっても、「偏差値的学力」獲得競争に焦点づけられた「学習意欲」の病理の本質を、依然として突いていることに変わりはない。すなわち、平準化された能力の序列化（輪切り）のなかでの「順位」争いという学習の過程で、子どもたちは、学習すればするほど、「自己自身の現実的世界との出会い」（「学ぶこと」についての動機や意義）の場が狭められ、まっとうな学習意欲（学習対象への主体的な構え）を減退させていっているのである。

事実、他の調査によれば、学年が進むにつれて、また「受験」を終えてしまうと、よりいっそう「授業離れ・教科書離れ」が進行し、そこでは、むしろ「学力無視ないし学力拒否」的状況がみられる。つまり、子どもたちの「学習」への動機や努力を支えているものといえば、「合格」と「他者との比較・競争」という外的目的（学力の交換価値）なのだから、ひとたび、その価値（合格）を手にすれば、身につけた学力は直ちに「剥落」させてしまう性格のものとなっている。

したがって、「自分のモノ」としての学力（本来的価値）についての不安・不信は消えることがない。ましてや、他者との共感や連帯意識など、育つはずもないのである。

既出の神奈川県藤沢市教育文化センターは、さらに5年後の1995年6月に、同市内の中学3年生男女全員、3916名を対象に、「学習意識調査」を実施した。それによると、「あなたが学校に通う一番大きい理由はなんですか？」という質問に対する回答は、「友達と過ごしたいから」34.7%、「将来のため」27.9%、「義務教育だから」26.0%、という結果になった。「勉強をしたいから」は、驚くなかれ、なんと2.7%しかいなかったのである。

このデータから、なによりもまず「友達と過ごしたい」し、「義務教育でもあるので」学校に通っている中学生の姿が浮かび上がってくる。彼らは、けっして「勉強」をしたくて学校に来ているわけではなかったのである。

また、「学校の中で、あなたが一番大切に思うものは、次のうちのどれですか？」という質問に対する答えは、次のようであった。「友達づきあい」76.8%、「勉強」12.9%、「部活・クラブ」7.4%で、とくに女子生徒の場合は、「友達づきあい」が80.8%にも達している。受験を約半年後に控えた中学3年生が、学校で一番大切にしていることが、「勉強」ではなく「友達づきあい」だったのである。

大多数の生徒にとって、学校は、もはや「勉強」の場ではなく、「人間関係や社交の場」として受けとめられていた。少なくとも生徒たちの眼には、そう映じている。すなわち、学校は、子どもたちから見れば、友達づきあいや、多様な人間関係をとり結ぶ場となっていたのである。レジャー・ランドとまではいかなくとも、それに限りなく近い状況にあったといえるだろう。

しかも、こうした傾向は、けっして中学3年生に限った話ではなかった。藤沢市立俣野小学校の粂岩男教諭が、鎌倉市内の小学6年生の男女児童954人に、まったく同じ質問項目(「学校のなかで、あなたが一番大事にしたいと思うもの」)で、1996年10月に調査を行った[11]。すると、なんと91.4%の児童が、「友達づきあい」をあげていることが明らかになった。そして、「勉強」の項目にマルをつけた子どもは、たったの3.1%に過ぎなかったのである。

このように、小・中学生にとっての学校は、「友達づきあい」の場、社交の場となっていった。「勉強」が成立しうるのは、そうした人間関係のコミュニケーションの輪のなかにおいてである、という示唆を、これらのデータから読みとることができるのではなかろうか。

対話(ダイヤローグ)的関係の必要性

いずれにせよ、小・中学生の学習意識は、生真面目で、伝道師的な教師の「指導的眼差し」を上手にかいくぐって、ポスト・モダン状況に遊ぶようになった。「近代」型学校のシステム体制下における「ポスト・モダン」意識の出現。このような状況をみて、教育関係者はいったい何を感じるのだろうか。25～30年の歳月にみる、子どもの学習意欲の低落化傾向を嘆くのか。子どもの学習意欲の変容に驚き、このままでは教育効率が低下してしまう、もっと教師が毅然とした指導をしなければ、と

11 粂岩男, 1997年, 「小学生の意識に関する調査報告書」.

思うのか。

むしろ、子どもが学習意欲に満ち、「バリバリ勉強したい」と答えていた時代は、大人と子どもの共同幻想が成立しえた、きわめて稀な時代であった、と考えたほうがよいのではないか。それが幻想であったと自覚して、子どもはいまや、大人とは言語コードを異にする「他者」として歩きはじめていることを、はっきりと見すえていくべきではなかろうか。

「もっと、バリバリ勉強したいと思いますか」という問いに対して、かつての中学3年生のじつに65.1%が「はい」と答えていることは、教師と生徒の言語コードの間に、そう大きなズレがまだ生じていなかったことを示している。1965（昭和40）年といえば、東京オリンピックの開催された翌年であり、「俺について来い」式の「指導」がもてはやされた時期でもあった。それから数十年が経過した今日でも、このような「指導」が通ずると考えるのは、まったくのアナクロニズムでしかないことを、前述の中学生の回答ははっきりと示している。

現在の子どもたちは、「バリバリ勉強すること」「勉強だけに集中すること」「受験戦争を勝ち抜くこと」「スポーツ大会で優勝すること」など、要するに、高度経済成長期に賛美されたような、競馬場の競走馬のような生き方を、もはや求めてはいないのである。教師や親の一部には、こうした「モーレツ・タイプ」の生き方にまだ郷愁を感じている者もいないわけではないが、子どものほうは、それをかなり冷めた目で眺めている。そのことを、子どもの意欲が欠けているからだ、と決めつけているうちは、なにごとも始まらない。

むしろ、教師や親の抱く、「他者」を排除した「モノローグ」的な教育観の閉鎖性のほうをこそ、問い直す必要があるのである。教師や親たちの多くは、子どもの発するさまざまなメッセージを読みとることに、ほとんど関心を示さず、したがって、また、そうした受信用のアンテナを張り巡らすという努力も怠ってきたようにみえる。

いったい、人は「学校」でなぜ学ぶのか。そもそも私たちが生きていくことと、学ぶこととは、どのような関係にあるのか。このような現在の中学生・高校生の戸惑い、答えあぐねている疑問に、教師や親が応えるべく、「共に追究していく」という対話的な関係を作りあげていくことのほうが、どれほど大切であろうか。

私たち自身の価値観を問わずして、子どもに知識を一方的にそそぎ込める、という時代は、すでに終わっているのである。

第２節　「近代化型教育」の終焉

近代日本教育史における二大革命

前節において概観したように、「リテラシー」とは、義務教育において教育すべき「共通教養」「共通知識」を意味する概念として成立したものである。この点をふまえながら、本節では、現代の教育が求めるものが何かを探っていくことにしたい。そのために、過去、日本の教育史上に起きた重大な転換点を確認し、そこから現代の教育を再検討していくことにする。

さて、明治維新による開国から今日までに、日本の教育は二つの注目すべき量的拡大を経験した。1872（明治5）年に義務教育制度が発足してからの小学校の就学率の急上昇が、その一つである。もう一つは、言うまでもなく、第二次世界大戦後の高等学校への進学率の、世界に例の少ないほど短期間での急激な上昇だ。どちらの場合も、日本の産業化・近代化の推進に、ほとんど決定的な役割を果たした。

まず、その第一の波、明治期の近代教育のあらましを確認しておきたい。

近代教育の礎となった「寺子屋」

日本において、1872年の小学校の就学率はわずか28%にすぎず、同年のイギリスの40%と比較しても格段に低いものであった。しかし、1900（明治33）年には80%となって早くもイギリスと肩を並べ、1910（明治43）年前後に、両国はそろって100%に近い数字を示した。

このとき、中等教育の進学率では、日本は12%、イギリスは4%で、日本は近代教育の先進国イギリスを、早くも量的に凌駕したのである。

小学校にのみ関していえば、イギリスは産業革命の後、工業化がかなり進展してから、徐々に普及していった。しかし、イギリスより約1世紀あまり産業革命の遅れた日本では、工業化が本格化したとき、小学校の普及はすでにほとんど完成していたのである。これを言い換えれば、イギリスの場合と違い、日本は教育が工業化を引っ張っていくという、教育主導型の国づくりが進められた背景を暗示しているともいえるだろう。

このような急速な発展を陰から支えた力は、いうまでもなく、庶民教育としての寺子屋の伝統に負うところが大であった。これについて、アメリカ駐在の森有礼は、明治初年、のちに日本の近代教育の父と呼ばれたダビット・モルレー（Murray, D.）に対して、日本の初等教育は寺子屋から始まる、と述べている。

特に、東京の場合は、寺子屋の伝統を受け継ぐ私立小学校が多く、その存在を無視して近代公教育は語れない。たとえば、1879（明治12）年の公立小学校と私立小学校の関係は197校対698校で、私立小学校が公立小学校の約3.5倍存在していた。

初等教育については、幕末の段階で、民間教育機関である寺子屋で初等教育を受けることは人びとの間でほぼ前提となっており、需要サイドである当時の一般家庭にとっても、また、その担い手である教師にとっても、すでにレディネスが成立していたと推測される。事実、当時の教師は平民がトップの48%を占めていたことからも、すでに平民のなかでも知的水準の高い者がいたことがうかがい知れる。

戦後の高等教育の充実と民間教育

次に、第2の波である、戦後の高等教育への進学率の上昇について触れていく。

日本の中等教育の進学率は、戦前の1940（昭和15）年には、わずかに18%（旧制中学校に関して）であった。しかし、高等学校と名を改めた戦後、1955（昭和30）年に50%、1975（昭和50）年に90%を超えて、現在はほぼ義務教育なみに、96～97%という高い数字を持続的に示していることは、周知の通りである。

アメリカがこの率を50%から90%に引き上げるのに40年かかっていることを考えあわせると、日本の進学率90%はその半分の時間で達成されていることになる。量的拡大という点だけからいえば、いかに世界に例の少ない、急激な上昇であったかがわかるだろう。

この時期は、日本が現代の高度産業社会に脱皮していくプロセスに、ほぼ一致している。高校進学率が50%であった1955年から90%に及んだ1975年までの20年間で、日本の国民総生産は約18倍となり、世界にそれの占める比率は2%から10%、実に約5倍に達するという、巨大な変化を示した。

ここでも、忘れてはならないのは、民間教育機関の果たした役割が大である、ということだ。戦後の連合国軍総司令部の展望のなかにも、高等学校の義務教育化が検討されていたようだが、需要サイドにおいても、高校はほぼ全員が目指す対象として考えられるようになっていった。ただし、高等学校と中学校の数は同じではないので、当然、高校進学は入学試験によって選択されることになる。生徒は、学校の成績（内申）と一般的学力としてのテストの点数を上げることによって入試選抜が可能となることから、それぞれが各自の努力で入試を突破しなくてはならない。しかも、受験指導は中学校に期待しても限度があるということもあって、子どもたちは学習塾をはじめとする民間教育機関、ないしは個人の教育者のもとに出向き、そこで学校の授業の補強や受験に対する準備を行った。

そこに行けば確実に自分の希望するところに進学できるという意味で、学習塾などの民間教育機関が、現在の高等学校全入ともいえるほどの高い進学率の達成を容易にしてきた、といっても過言ではない。つまり、民間教育機関は、ここでも第二の革命の原動力となっているのである。

第3の波──学習の国際化──

いうまでもなく、教育にとって大切なのは、単なる量の拡大ではなく、質の向上が伴うことだ。また、教育は一国の伝統文化に深くかかわっているので、統計だけで国際比較をしてもほとんど意味がないという側面を持っていることも、改めていうまでもない。しかし、それにしても19世紀の後半に欧米諸国に伍し、今日の発展段階に達した日本の成長の原動力が、ここまで見てきたような教育の急激な量的拡大、別の表現でいうなら教育の大衆化、平均化にあったことだけは、疑うべくもない。

そして今日、明治以来の「追いつき型」近代化は、ほぼその目標を達成した。これに伴い、わが国の国際的地位や責任も高まり、国際相互依存関係の深まりのなかで、経済・文化・人的交流等のあらゆる面で、国際的なつながりがますます強まろうとしている。

このような国際環境のなかにあって、日本人は、国際間の経済・文化・科学技術の交流や、各国が共通して抱える諸問題にかかわる国際協力など、地球的視野で取り組まなければならない問題に一層直面することになるだろう。しかし、この新しい段階における「国際化」は、明治以来の追いつき型近代化時代における国際化とは、認識や対応を異にするものである。それは、いわば全人類的視野に立って、人類の平和と繁栄、地球上の様々な問題の解決に積極的に貢献し、地球の生態系の保全と自然・人間・機械の共生を可能にする「人類文化の形成への参加」をすることでなくてはならない。

現代において、これらの国際交流・協力や全地球的規模の諸問題に挑戦することは、次世代に課せられた重大な課題である。そして、日本人がこれまで正面から取り組んだことのない、フロンティアの仕事でもある。これからの課題は、いずれも若い世代の精神を鼓舞し、創造性を要求する、やりがいのある仕事でなければならない。

そして、今後の国際化の一層の進展がわが国にもたらすであろう可能性と問題を考えるとき、次世代の日本人にはこれまで以上に深く、広い国際社会に関する認識、すなわち、世界各国の文化・歴史・経済等に関する認識が要求されるであろうと考えられる。また、異文化と十分に意志の疎通ができる語学力、表現力、国際的礼節、異文化理解能力等が求められることになるだろう。

また、国際化の進展は、次世代の日本人が、それぞれの文化のもつ特殊性とその底を流れる共通性・普遍性を正しく認識して行動できるよう、国際社会のなかの日本文化の歴史・伝統・個性等に基づき、しっかりとした文化的素養・能力を身につけることを必要としている。これにより、国語教育、語学教育、歴史教育、芸術教育、徳育等の教育のあり方、教師に求められる能力、外国人教師と留学生問題、教育・研究の国際交流等のあらゆる面で、これまでの発想や手法の見直しが要請されることになるだろう。

それでは、こうしたグローバル化の進む激動の時代に、私学や塾をはじめとする民間教育機関は、はたしてどのような役割を果たすことを期待されているのだろうか。

「近代化」の時代の教育の終焉

1872（明治5）年に学制が頒布され、日本の「近代学校」制度が発足して、すでに140年が経過した。「近代化」の時代の学校空間・学習空間は、規格化された大量生産の工場モデルであり、そこでは、一定の知識を伝達し､受容する型の学び（＝「勉強」）が奨励されてきた。いわゆる「教師が教え、生徒たちが一斉に学ぶ」場としての「学校」と、それを徹底させた「学習塾」や「予備校」が、その典型である。

また、1945（昭和20）年の敗戦直後から、1960年代に始まり70年代後半に終息をむかえた高度経済成長期に至る「近代化」時代の学校には、子どもたち全てに、均質な学力と集団生活のモラルを身につけさせることが求められた。そして、それが戦後の急速な経済復興を成し遂げる原動力となり、国際的にも高く評価されてきた。

しかし、1980年代以降、子どもたちは、画一的に与える「教育」そのものを拒否し始めてきている。「いじめ」や不登校の問題、高校の中途退学者の増加などは、近代化型教育システムそのものに対する子どもたちの拒絶反応として理解することもできる。

一方、学校だけでなく家庭においても、子どもは、いつの間にかおとなの「眼差し」をすり抜け、その視界から消えていった。子どもが変わった、子どもがわからなくなった、といわれるようになって、30年以上が経つ。この間、子どもの生活世界に顕著にあらわれた現象は、子どもの生活における「関係性」の希薄化と、孤立化である。遊びにおいても、その他の生活においても、現在の子どもは、地域差を越えて、他者・事物・自然から、ますます隔離されていく傾向を増している。しかも、高度情報社会を反映して、マスメディアやメカニズムの世界に籠もる、という傾向が強くみられるようになった。

いったいなぜ、そしてどこに子どもたちは消えていくのだろうか。30年前の学習塾や私塾の塾長たちには、この問題はまだ他人事のように思えたはずである。子どもは、学校に行かずとも、すべて自塾にやって来て、そこで濃密な人間関係をつくり出しているから、と自信ともうぬぼれともつかぬ口調で語っていた塾長の姿を思い起こすのは、私だけではあるまい。

ところが、現在、子どもたちはそのような大人たちの「眼差し」もすり抜け、その視界から、つぎつぎに消え去っているのである。塾にはもはや子どもが来なくなり、たとえ来たとしても、塾長が考えているものとはかなり違った理由によって通ってきているのだと言わざるをえない。

これからの教育は、いったいどこへ行くのだろうか。確かなことは、過去の学校観、教育観、学習観の枠組みが、すでに「制度疲労」を起こし、破綻の危機に瀕しているにもかかわらず、それに代わる新しい「学校」「教育」「学習」のパラダイムが見えにくい状況、時代の転換点に、私たちが立たされているのではないか、ということだ。

2つの「授業」コンセプト

学校や塾で行われる「授業」と呼ばれる実践は、多岐にわたり、決して一様ではない。教える内容のジャンルや、対象とする子どもの学習段階によっても、「授業」はさまざまな様相を呈し、その「授業」を遂行する教師の人間的資質・個性・教養・教育観・学習観によっても、きわめて多様なものとなっている。

しかし、その多様性にもかかわらず、教師のいとなみを根底で枠づけている「授業」の成り立ち方に注目してみると、大きく分けて2つの異なった「様式」が見出される。それは、シカゴ大学の教育学者フィリップ・ジャクソン（Philip Jackson）が “The Practice of Teaching” で取り上げた、「模倣型様式（mimetic mode)」と「変容型様式（transformative mode)」と呼ばれる2様式である[12]。

「模倣型様式」とは、知識や技能の伝達と習得を基本とする授業のあり方を意味し、科学技術が飛躍的に発達した近代の学校において、支配的な様式として制度化されてきたものである。

「授業」を文化の「伝承･伝達」の実践とする一般的な見方が、これを代表しており、「授業」と「学習」にあっては、多くの人間が、同一の方法で一律に、しかも大量に「できる」ようになることを追求している。

他方、「変容型様式」は、学習者の思考の態度や探究の方法を形成することが授業の基本とされており、単純に知識や技能を教えるのではなく、「対話」を通して学習者自らの偏見やドグマを吟味し、「知る」こと

12　Jackson, P. W., 1986, *The Practice of Teaching,* College Press.

の醍醐味を味わえるように指導する。

この様式は、一般的にいって、「授業」を文化の「伝承・伝達」として定義づけるのではなく、むしろ、文化を「再創造（改造）」する、「編み直す」という見方に対応しており、「授業」と「学習」にあっては「わかる」ことを追求している、といえるだろう。

翻って考えるに、「模倣型様式」の授業の歴史は、「学制」に先立つ1872（明治5）年4月に交付された、いわば「学制」の前文としての「学事奨励に関する被仰出書（おおせいだされしょ）」による「近代学校」の成立と、その制度化とに起源を求めることができる。そして、同年5月に頒布された「学制」によって制度化された学校教育と一斉授業の様式は、それ以前の「寺子屋」「藩校」「郷学」「私塾」などに見られた「自学」形態の伝統や、往来物の手習いや漢籍の暗唱による「模倣」「習熟」の伝統とは、一線を画するものであった。

かくして、「学制」以後の学校は、「一斉指導」という欧米近代の教育様式を導入した。そして、それによって、身分・階級・階層や性の差異を超えて、共通文化を構成する国民教育のシステムを形成したのである。

この「近代学校」のシステムは、以下の5点に特徴づけることができる。

①「教育内容」が国家によって定められた
②「学級編成」の様式が導入された
③「一斉授業」の様式が導入された
④「教師」の養成と研修が制度化された
⑤「学力」の評価と競争が組織された

欧米から導入された「一斉授業」

明治維新にあって、学校は、国民の文化を総合し、国民道徳を徹底するうえで、必須の装置であった。そのために、「学制」と同年に公表された「小学教則」は、総計 27 の科目を、欧米の教科の翻訳名で掲げた。そして、「小学校教則綱領」(1881 年)、「小学校の学科及其の程度」(1886 年)、「教育勅語」(1890 年)、「小学校教則大綱」(1891 年)、「小学校令施行規則」(1900 年) が定められ、1904 年には「国定教科書制度」が敷かれた。これが、前項の①にあたる。

また、1900 年の「小学校令」以降は、「学級編成」の様式の導入により、全国のすべての子どもが、均一の内容を、均一の時間に、均一の方法で学習する、国民教育の「均質空間」が完備されることになった。これは、前項②にあたるものである。

江戸時代には、たとえば大人たちが心学道話を一斉に聴講する、という光景が、見られるには見られた。ただ、寺子屋では、子どもが一室に 10 数人いたとしても、「一斉授業」ではなく、個別に手習いを教わるのが一般的であった。ヨーロッパの場合は、大衆教育の普及を必要とした産業革命期に「一斉授業方式」が普及している。欧米の科学技術を急速に導入した日本でも、ある程度の知識に習得した大量の勤労者の育成には、この方式が必要となっていたのである。これが、前項③にあたる。

そのため学校には、机と椅子、それに黒板や掛図が用意された。また、この方式を確実に根づかせるため、アメリカから牧師 M・M・スコット (Scott, M. M.) を、「学制」の頒布と同時に設立された東京師範学校に招いた。このスコットは、多くの教材・教具等をアメリカから持参し、教員養成にあたった。そして、スコットから直接指導を受けた者が、こんどは各地の師範学校に赴任して、新しい教授方法を生徒や現場教師に普及することに努めたのである。これが、前項の④にあたるものだ。

さらに、新方式の授業を受けた子どもたちの進級にあたっては、厳格な試験が待ち受けていた。そして、卒業・進学の際には、さらに厳しい大試験がある。「学制」によって成立した学校は、一方では、身分・階級・階層・民族・性の差異を超越した「人民一般 (華士族農工商婦女子)」の教育を実現する「共生のユートピア」を準備していた。しかし他方では、教育を「身を立つる財産（もとで）」（立身出世の手段）と規定し、個人主義的な競争を組織して、階級・階層・民族・性の差異を再生産する、序列化と選別と差別の装置として機能してきた。これが、前項⑤の部分である。

この序列化・選別・差別は、上級学校への入学試験を中心として機能した。また、日常の教育課程においても、1900年の小学校令までは、進級・飛び級・留年を判定する学力検査によって、それ以後は定期的に実施される学力テストと通知票の評価において機能してきた。そして1920年以降は、「能力」や「適性」による学習課程の個別化と多様化も導入されている。

反「画一主義」と「新教育」運動

こうして、集団主義的な画一性と個人主義的な競争・序列化・差別が激しく機能する、日本の学校教育の特徴が形成された。しかし同時に、大正期に入ると、大正デモクラシーの風潮のなかで、「教育において民衆を重んずべき」という考えが主張され、「民衆一人一人の子どもの個性・能力を育てよう」とする「新教育運動」が、一方で起こされた。そこには、20世紀初頭以来の、国際的な新教育運動と通じあうものがあった。

この「大正自由教育運動」は、その後、昭和に入って、全国の公立学校に普及し、「郷土教育運動」として展開される。しかし、時局の影響を受けて、農本主義とのつながりを強め、最終的に「ファシズム教育」へと収斂していく経過をたどることになった。

また、戦後の約10年間は、「国家中心」の教育から「子ども中心」の教育への理念の転換を背景として、授業とカリキュラムの改造が活発に展開された時期でもあった。

1946（昭和21）年3月の第一次米国教育使節団の報告は、日本の教育の中央集権的かつ官僚的な制度を批判し、カリキュラムと授業を自主的に創造する教師の創意に教育の未来を託していた。同年５月に文部省が発表した「新教育方針」は、「個性尊重」を謳い、子ども中心とする授業の創造を民主教育の原則とする方針を掲げていた。

1951年版の「学習指導要領」を前後する数年間は、全国の各地の学校に、自主的な教育を創造する「カリキュラム運動」が活発にくり広げられていた。「カリキュラム」と「単元学習」は、戦後「新教育」を特徴づける２つの用語である。また、新教科の「社会科」は、民主主義教育の象徴であった。1951（昭和26）年の調査によれば、全国の学校の７割が、学校独自の「カリキュラム」の作成に尽力しており、８割の教師が「単元学習」の様式を実践していた。

しかし、1950年代も半ばに入ると、文部行政の政策転換によって、この新教育の実践は急速に衰退していった。1958年度の学習指導要領の改訂は、高度成長を見通して科学技術教育の振興を掲げ、「系統学習」を基本とする分化主義の「教科」教育を推進するものとなった。以後、1960年代と1970年代のほぼ20年間は、この方向で推移していくことになる。

「近代化」型教育の終焉

高度成長期は、高校進学と大学進学の受験競争が激化した時期でもある。「受験学力」の圧力は、子どもと学校教師の意識や授業の様式にも無言の圧力となって作用し、特に中学校や高等学校の授業は、効率性を重視する講義中心の「伝統型」の様式へと閉ざされてゆく。いわゆる学校の「予備校化」である。

小学校においても、学力の定着を目的とする授業が追求され、あらかじめ与えられている知識の体系を効率的に習得する日本型の授業と学習が、市販テストの普及にも支えられて、全国の学校に浸透することとなる。しかも、受験競争への対応として効率性を追求する日本の学校教育は、皮肉にも、学力の国際比較テストで、トップの地位を獲得している。

高度経済成長による経済発展が世界の脚光を浴びた1980年頃、日本の学校は、高校進学率が94%、大学と短大の進学率も38%に達し、教育の「量的・制度的な拡大」のピークに達している。「学制」以来の教育の「近代化」の、終焉である。

おりしも、この頃、中学校に校内暴力が吹き荒れ、以後、自閉、不登校、いじめ、学習からの逃走など、学校教育の解体を示す危機的な症状が、今日まで持続している。いまや、学校とは何か、なぜ学校に来て、なぜ学校で学ぶのか、という根源的な問題は、多くの子どもたちの痛切な問いとなっている。

これらの危機が一挙に押し寄せた原因は、近代化の達成にともなって学校の規範性と正当性が衰退した事情に加えて、受験競争の激化と管理主義の指導による学校の窒息状況、教師の権力的・権威的指導など、日本の学校が歴史的に抱え込んできた問題が噴出したことにもよっている。

この危機に対応して、教育改革に関する考え方も変化している。1984年に発足した臨時教育審議会は、中央集権的で画一的な教育行政を批判し、民間の活力を導入した教育の「自由化」と「個性化」の方向を提起している。国家が管理してきた学校の公共的領域を、市場の統制へと譲渡する改革の方向である。

以後、文部省の「規制緩和」が推進され、「選択中心」のカリキュラムと「個性化」教育の推進は、学校改革の中心的標語となった。さらにその後は、学校週5日制の導入を契機として、学校教育のスリム化が叫ばれ、マルチメディア教育の推進による学校の「電脳空間化」の構想も打ち出されるまでになった。

学校を解体へと導く危機の進行は、「学校」「カリキュラム」「授業」の再定義を要請している。日本の学校の歴史は、中央集権的な行政によって、画一的な教育を提起し、個人主義的な学力競争を組織して、効率的な教育を達成してきた歴史であった。いまや、その構造や体質を根本から転換する必要に迫られている、といってよい。

「一斉授業」の崩壊

こうした変化が進んでいた1990年代後半、「創悠舎」設立準備室のプロジェクト・チームが大小150あまりの学習塾を実際に訪ねて行ったマーケティング・リサーチで、ひときわ目立った学習塾の変化があった。'90年代前半には、まだそれほど積極的には行われていなかった「個別指導」「自立学習」「1対1」「1対2」の、「少人数指導」「個別主義」「個性主義」「個性を伸ばす教育」などというスローガンが、宣伝文句として堂々と登場するようになった点である。これを謳わない塾は、いまや「塾の資格がない」と言わんばかりの勢いであった。

これらを整理してみると、1対多数の「一斉指導」から、1対少数の「少人数・一斉指導」、ないしは「1対1」「1対2」「1対3」の「個別対応」型の指導へと、授業や学習指導のあり方が変わってきたことを物語っている。これらは、一見すると「学習者中心」の指導のように見えるが、教室をのぞいてみると、「模倣型様式」をベースにし、「多人数一斉型」対応から「少人数・一斉（ないしは個別）」対応に移行したにすぎないことがわかる。

さらにダメを押すように、CAIの導入により、個々の学習をプログラム管理する。生徒は、まるで養鶏場のニワトリのようである。個室のように仕切られた金網の狭いスペースに、静かにおさまり、必要なときに、必要な量の、選びぬかれた栄養満点の「教材」という餌を、効率よく与えられ、灯りが必要であれば、夜中でも電気をつけて、しかるべきときに、しかるべき仕方で問題が解けるように「飼育」されているかの如くである。

そこでは、「指導の個別化」と「学習の個性化」が、「模倣型様式」の延長線上で実施されているにすぎず、「学習」「指導」「評価」が細分化されて、管理がさらに徹底されている。かつて、「一斉授業」が当然のこととして考えられていたころは、「少人数制」「個別」の謳い文句を見ると、その塾には生徒があまり集まらないために「少人数制」であるとか、先生が多人数の生徒を一斉に指導する力がないために「グループ別」であるとか、あるいは授業についていけない、対応できない生徒ばかりが集まるので「個別対応」であるとか、さらには、教室としてのスペースを十分にとる余裕のない「小規模零細」塾であるとか、否定的なレトリックが氾濫していた。当時、それを思い起こして、隔世の感をおぼえたものである。

期待される人間像の根本的な変化

また、近年、民間教育機関を取り巻く教育環境は、ドラスティックに変化している。たとえば受験生の絶対数の減少、父兄の教育費負担率の増大など、直接にその経営を脅かす経済状況から、偏差値中心の受験制度の廃止、英語の教育方針の大幅な転換など、民間教育のあり方にかかわる問題、根本的に検討を要する課題が山積みしている。

しかし、その現象をよく観察してみると、その変化の基底をなしているのは、「グローバル化」というボーダーレス時代に突入し、教育に求められている「期待される人間像」そのものが、根本的に変化してきているということだといえるだろう。

社会も、企業も、個人も、「教育」に期待する内容そのものが、質的に変化してきたのだ。「学歴」も通用しない国際社会に期待される人材とは、肩書きではなく、「能力のある個人」そのものであることが、遅まきながらはっきりしてきたのである。

偏差値廃止問題は、いまや「偏差値還元」型の入試選抜方法が「国際社会に通用する人材」の能力評価法としては全く不適当で、さらにIQ型能力評価自体が国際的にも根本から再検討されており、国内的にも歪みを生じている結果に基づく、やむを得ない対応であろう。この問題の核心は、単なる業者テストの弊害を越えたところにある。また、中学・高校を中心に英語の教師が悪戦苦闘している「コミュニカティブ化」などは、まさにこのグローバル時代の要請に、ストレートに対応しようとするものだ。

個人の段階でいえば、すでに子どもたち自身は敏感に時代の潮流をとらえ、何がなんでも東大、という、東大を頂点に国内の大学をランク付けした「東大ヒエラルキー」指向から離脱しようとしている。そして、短大・専門大学へと選択のターゲットを広げ、将来にかけて自分がやりたい職業に目標を定めて「好きな大学」を選ぶ傾向が、親と学校の意図とかかわりなく進行している。

このなかで、最近顕著に現れてきた傾向は、自分の将来を海外での活躍に目標設定して、単純に国内大学進学のみを選ばず、むしろ最初から海外留学を指向する学生が、年々増加していることだ。外国系大学の日本進出、ネイティブ講師を多数使った英語学校の乱立、TOEFL、SAT、GRE、GMAT などの受験生の増大等は、いずれもこの「海外指向型人材」の時代ニーズがもたらす事態の進行といえるだろう。そして、この海外留学組の要求は、基本的に3つある。

①自分の将来やりたいことがらに目標を定め、そのプロパーな専門領域の能力を高めたい
②そのために、受験は、国内の大学を選ぶにしろ、海外の大学を選ぶにしろ、そのプロパーな関心を中心に据えて、最低必要な限りの受験科目を選択して勉強したい
③外国で活躍するには外国語が必携となるが、さしあたってのコミュニケーション手段として「国際語」たる英語を自由に使えるようになりたい

そしてこの要求は、海外留学指向の学生にとどまらず、潜在的には中学、高校、大学生のほとんどすべて、さらには社会に出て数年を経た人

たちをも含めてのものであって、むしろ「そうしたいけれど、どうしたらいいのか」というのが実態そのものであるといえるだろう。

教育は時代要求にどう応えるか

かつて海外留学といえば、一般に大学・大学院レベルのものであり、留学するのは高度の研究を主目的とする研究者をさしていた。しかし、最近では、高等学校生徒の単位互換制度が確立したため、高等学校レベルから大学院修了後の留学までをさすようになっている。また、高度の学問を修める目的から、職業技術の取得を目指す短期大学・職業専門学校などによるものをも含むようになり、留学の概念が多様化してきている。また、夏休みや短期休暇を利用しての海外留学も急増しているのが現状である。

なかでも、「アメリカ留学」は大衆化してきており、法務省の出入国管理統計によれば、すでに1990年には68,944人が「留学・技術習得」を目的としてアメリカへ渡航していた。アメリカへの留学者数が1万人の大台を突破したのが1982年であるから、わずか8年の間に7倍になったということだ。また、6万8千人という数は、1960（昭和35）年の大学入学者総数の約3分の1であり、1988年の国公私立大学（短大も含む）への入学者総数の1割にあたる。この後も留学者数は増加を続け、アメリカ留学は進学の一形態という段階に達したといえる。

このような時代要求に、民間教育機関はどのように対応しようとしているのだろう。すでに偏差値という「東大ヒエラルキー」体制に見合った評価基準が失われた今日、相変わらず旧態依然とした「学歴」社会のための詰め込み教育を目標にしていくのだろうか。

日本の教育は、この四半世紀以上、活力をすっかり失うようになってしまった。それは、教育が本来の目的を逸脱するようになったからだ。教育の最大の目的は、新しいものを創り出す個性的な力をもった人材を育てることにある。このためには、自立した人間を創らねばならない。これが、人づくりなのだ。

極論すれば、今日の日本では、人づくりが行われていない。日本では、受験生を育てることに主力が注がれているからだ。受験生それ自体は、人ではない。受験生づくりと人づくりは、まったく異なったものである。

いまや入学試験は、人としての能力を育てるためではなく、選抜するために行われるものになり下がっている。選抜は、一時的な便宜として行われるものだ。一時的な便宜によって、生涯を支配されてはならない。受験が最重要事となっているのは、教育の本筋を踏み外しているからにほかならない。

私たちは、それに代わるどのようなシステムやメソッドを開発し、または採用し、新たに進展するグローバル化の時代に期待される人材の育成・教育に対応していくのだろうか。むしろこの際、従来型の経営と教育方針を根本的に検討し直し、社会・企業・個人の時代的ニーズの変化を素直に受けとめ、それに対応できる「教育の国際化」「教育の情報化」「教育の生涯学習化」の路線を導入することを検討すべきではないか。従来型の学校教育では実現できない「国際化」を、その社会的必要性に基づいて展開する、という民間教育機関の存在意義は、ここにあると考える。

「学校化」された日常世界

現状の日本の「学校」では、私たちは、ある年齢に達すると、小学校に入学し、中学校へと進学する。さらに、その中の90％以上が高校へ、40～50％が大学へと、はしご段式に昇っていく。そして、この段梯については、大抵の人が、そのように「上昇」していくごとに不安を感じつつも、一方で、それがごく「当然」のことと考えている。

かつて、「学校」にはうんざりさせられた者ですら、後年、結婚して家族をもつに至ると、自分の子どもは、ある年齢に達すれば、自然のこととして「学校」に、そして「学習塾」に行かせる。これは、もう法律上の義務というよりも、むしろ「社会的人間」として認知される必要から、親が自ら率先してそうするのだ、といえよう。

6歳での小学校「入学」、12歳での中学校「進学」、15歳での高校「受験」という、特定の年齢に至っての「入学」「進級」「進学」「受験」「卒業」は、なぜ、ほかの年齢であってはならないのか。

また、学年別に、なぜ同一の年齢が区切られ、上へ上へと押し出されているのか。さらに、なぜ1クラス30～40人の子どもを、いっぺんに、同一の「教科」における同一の「知識」を獲得させるために、「一定時間」机に座らせておくのか。

私たちは、このことに常づね疑問をいだきながらも、皆、それを当然のごとく受容している。一方で、子ども一人ひとりの能力・個性が尊重されながらも、おなじ事柄が、均等に、同一の方法で、「均一の時間」内に「教えられる」ように、「平等主義」のレトリックをもって、「教育」が組織だてられている。

考えてみるに、これほど奇妙な制度は、学校以外のどこを見わたしても見つからないし、おそらく人類史上、ほかに類例がないであろう。強いて類似しているものを探せば、「刑務所」と「軍隊」ぐらい、ということになろうか。

ここには、「子どもは学校に所属し、学校で学び、学校でのみ教えられうる」という疑いなき前提がある。「学校」にすべての子どもを行かせる、という制度は、現状では、政治形態やイデオロギーの差を越え、先進国であれ、発展途上国であれ、カナダのイヌイットの住む周辺部であれ、中心部であれ、豊かであれ、貧しくあれ、あらゆる「民族国家」において、同様の様式である。しかも、人民、国民、市民のために整った政体であるか否かは、この子どもに対する「学校制度」がどれだけ整っているかにかかっている、と一般的には考えられている。

さらに、子どものとき果たされなかった「教育」は、成人に対する「成人教育」あるいは「社会（人）教育」という「学校教育」の延長として、どこまで整備されているかによって補償される。

このように、私たちは「学校教育」以外に、これといった教育の形態（＝カタチ）を持ちあわせていないだけでなく、それについて考えることもできない時代に生きているのである。イヴァン・イリイチ（Ivan Illich）は『脱学校の社会（Deschooling society)』で、「私たちの社会生活に学校がある」ということ自体の意味を問うた[13]。

いまや、教育が「学校化」されているだけでなく、社会的現実それ自体も、さらに、人間本来の「学び」も「学校化」されている。私たちの眼には見えない「不可視の世界」、私たちの認識はもとより、知覚さえも及ばない「影の世界」が「学校」によって産み出されている、とイリイチはいう。

「学校制度」への批判

イリイチの挙げる「学校制度」の特徴には、以下のようなものがある。

- 学校を通してのみ、人びとは社会的メンバーとして認められる
- 学校の外で教えられたことには価値（value）がない
- 学校の外で学んだことには価値（worth）がない

（I・イリイチ「学校化への分水嶺設定」）

- 年齢別に区分された30～40人の集団
- 資格ある教師のもとで監督されている、「生徒」として定義づけられた児童

13　Illich, I., 1970, *Deschooling society*, Harper & Row.（小澤周三訳，1977年，『脱学校の社会』東京創元社.）

・年に1000～1500時間の段階的カリキュラムへのフルタイム出席
(I・イリイチ『脱学校の社会』)

学校といえば教育を、教育といえば学校を思い浮かべるように、学校と教育との密接な関係を否定する人はいないだろう。教育こそ社会の現状を批判的にみつめ、理想を追求させてくれるもの、人間を人間らしくしてくれるもののはずである。学校では、このような教育がなされるものと誰もが考えてきた。であればこそ、義務教育の延長を求め、教育を受けることは権利とみなすようになってきたのである。

しかし、1960年代末ごろから、学校批判、それも社会制度としての学校制度への批判が、今までになく徹底して行われるようになった。その徹底的な学校制度批判は、「脱学校論(deschooling)」と呼ばれ、その代表的論者として、I・イリイチとP・フレイレ(Freire, P.)が挙げられる。

イリイチによれば、一定の年齢の間だけを「義務制」とし、「免許」をもつ教師だけによって「独占的」に行われる「学校教育」は、人びとに無意識のうちに「学校に行けるのは子どものときだけ」であり、「学校だけが教育を行うところ」であり、また「学校に通いさえすれば、教育を受けたことになる」と考えさせるようになる。そして、人びとは、「独力」で「自主的」に学習する能力を失っていく。また、「独学」の人は世間から信用されなくなり、就職の際にも、「実力」より、どの学校を卒業したかという免状の方が重視されるようになってしまう。

また、「学校」という制度に頼り切って自主性を喪失し、「教育」以外の分野、たとえば「医療」「平和」などでも、それぞれ「病院」「軍隊」に頼るようになる。そして、それらの「制度」にお金をかけさえすれば、その目的(「健康」「独立」等の価値)が実現されると誤解するようになる。また、より多くの「学校教育」を受けること(「高学歴」の取得)がよいこと、社会的に有利だとなると、何かにつけ、「大きく」「多い」方が好ましいことだと考えさせるようになる。

イリイチは、「制度」のなかには、その「制度」の存在自体が、人びとの考えのなかに、以上のような影響を及ぼすものがあることに注目した。

さらに、イリイチは、現代の「学校制度」が、職業を人びとに配分する機構に堕してしまい、社会のなかの不平等を増強するだけでなく、「学校」という隔離された社会のなかで、「教師」は自ら「ルール」を定め、それを「解釈」し、「刑」を「執行」する者として「生徒」たちに接するため、自由な人間性の育成がかえって阻害されている、とする。

「学校化されたモノローグ」教育への実践的批判

1970年代、ブラジルの教育学者であるP・フレイレは、「学校制度」の特徴を、以下のように整理している[14]。

- 教師が教え、生徒は教えられる
- 教師がすべてを知り、生徒は何も知らない
- 教師が考え、生徒は教えられる対象である
- 教師が語り、生徒は耳を傾ける……おとなしく
- 教師がしつけ、生徒はしつけられる
- 教師が選択し、その選択を押しつけ、生徒はそれに従う
- 教師が行動し、生徒は教師の行動を通して、行動した、という幻想をいだく
- 教師が教育内容を選択し、生徒は（相談されることもなく）それに適合する
- 教師が学習過程の主体であり、一方、生徒は単なる客体にすぎな

14　Freire, P., 1970, *Pedagogia do Oprimido*, Paz e Terra.（小沢有作ほか訳, 1979年,『被抑圧者の教育学』亜紀書房.）

い

・教師は知識の権威を自分の職業上の権威と混同し、それによって生徒の自由を圧迫する立場に立つ

（P・フレイレ『被抑圧者の教育学』）

フレイレは、この著書において、教師が所定の知識を一方的に生徒に伝達し、記憶させ、生徒のアタマに移し入れる教育を、「知識がいつか役立つもの」として「貨幣」のように貯蓄する「銀行貯蓄型」教育である、と厳しく批判した。そして、それに対置するものとして、「課題提起型」教育の実践追求を提唱した。

この「課題提起型」教育の実践を通して、フレイレは、学習者が自分の生きる文脈から離れた、疎遠にして抽象的な知識ではなく、むしろ自分自身の「現実」を対象化することを通して、そこから自力で「認識を形づくる」可能性を追究した。すなわち教師から生徒への一方的な知識の伝授や贈与が否定され、同じ一つの対象と向かい合う共同探究者としての相互的な「対話」と「認識形成」の営みが実践されたのである。

そして、現代にあって、「銀行貯蓄型」教育は、フレイレのいうところの「支配階級」の側からも、もはや無用の長物と見なされ、その存在基盤が大きく揺らぎはじめている。

「モノローグ型」から「ダイヤローグ型」の学習へ

現行の「学校」という制度のなかでは、知識は教師から生徒へと一方的に伝達される。教師は探究する。しかし、生徒たちは、その教師の探究した結果を、知識として教師から聞かされるだけである。このような関係のもとで伝達される知識は、それがいかに衝撃的で新鮮なものであろうと、生徒にとっては、暗記すべき知識の一項目にすぎない。「知識の探究」とその「知識の伝達」とが、別々の過程として、互いに分断され

てしまうために、前者の探究の過程で、新鮮な知識としてすくいとられたはずのそれは、後者の伝達の過程では、たちまち「生気のない概念」へと風化してしまう。

ところで、すでにできあがった知識を、ただ一方的に伝えるだけならば、そこには、伝える側にとっても、伝えられる側にとっても、なんら発見も、変容も伴わない。そして、それを「創造」とはいわない。フレイレは、人間がみずからの経験のなかから、何かを発見する行為として、「課題提起型」教育を追究した。

人びとは、そのコミュニケーションの過程で、みずからの力で、新たに「知」を形づくる。もし、こうしたコミュニケーションの嵐のなかで、ある一つの「知」なり「思想」なりが、「対話的」に形成されていくということが「創造」であるとするならば、「対話的実践」としてのコミュニケーションは、それ自体、一つの創造の「現場」でなければならない。

制度化された現在の「教育」と「学習」にあって、教師がみずからを「真理の代弁者」とみなし、それを生徒たちに一方的・画一的に伝授する「学校言説」は、本質的には「モノローグ的」「反・対話的」であらざるをえない。「伝達」メディアとしての「学習教科書」は、教師によって誘導される「一斉授業」に連動し、教室内部の口伝えのコミュニケーションですら、「モノローグ的」なものに変えていく。

かくして、ある特定の条件のもとでは、「リテラシー」(「活字文化」)のモノローグ性が、口伝えのコミュニケーションの場にまで浸透していく。ロシアの言語学者M・バフチン（Bakhtin, M.）は、教師と生徒の対話を、対話の形式をとった対話の不在、一方から一方へのモノローグ的語りの最たるものと見なす。

「学校離れ」「学習離れ」を受けとめる「オールタナティブ教育」

ゴーリキーの「この人生は、校舎もなければ教科書もない、私の大学だった。私はそこで、無数のことを学んだ」という言葉がある。私もまた、自分の人生をふり返るたびに、ゴーリキーのこの言葉が思い起こされ、共鳴することも多い。それは、人生そのものが「学びの場」にほかならないからだろう。

「学校」「大学」で学んだことは、あれこれ、いろいろあるにせよ、「人生全体」つまり「生涯」の時間から見れば、所詮、部分的なものにすぎない。空間的に見ても、「校舎」と「教科書」「教材」のある「学校」は、さまざまな「人」と「もの」と「情報」との出会いのなかで暮らす「生活全体」からすれば、きわめて局部的なものだ。

自分の生きているこの地球上に存在するもの一切が「教材」であり、そこにいる人びとすべてが、よき「教師」である。

とりわけ、近代の「学校」というものが出現して以来、いかに私たちは「教育」あるいは「自分の育ち、学ぶという営み」を、「生の全体」からみて局部的にしかとらえてこなかったことだろう。

狭い意味での「学校」で学ばなければ、人間として一人前になれないと考え、「学習」や「教育」を、局部的な「学校」に閉じこめる。こうした発想・価値観に、「学校」に行かない子どもたちの多くが、深く傷つけられてきた。しかし、問題は、「不登校」の子どもたちだけをめぐって存在するのではない。むしろ、「学校」には形式的に通っているが、部活と友達づきあいとに明け暮れする子どもたちが数多くいる。彼らは、一般的・抽象的にしか語ろうとしない「教師」を前にして、無味乾燥な「教科書」と「ドリル」と呼ばれる安価な「習熟教材」を使った「学習」を強いられている、大多数の「不登校予備軍」である。問題は、彼らを支配している「学習」への無気力と「無感動」(=「アパシー」)にこそある、といえるだろう。

こうした「学習離れ」を、大人・子どもに関係なく、人間が生きて成長していく上で避けて通れない「根本的な問題」として引き受け、「学びの場」を「学校」に閉じこめずに、自前で創り出していこうとする動き

（＝「ムーブメント」）がある。これが、いわゆる「オールタナティブ教育」の潮流にほかならない。

日本で「オールタナティブ（alternative）」な「学びの場」を、民間・市民のレベルで「手づくり」していく一連の試みが生まれたのが、「不登校」の急増しはじめる時期と同じ、1980年代中頃である。しかも、この1980年代というのは、近代公教育制度としての「学校」が成立して以来、「学校＜における＞諸問題」をテーマとする時代から、「学校＜という＞問題」がテーマとなりはじめた時期、すなわち「学校」そのものの存在意義が問い直され、「脱・学校論」が話題にのぼるようになった時期とも重なるのである。

そして1980年代は、日本が1970年代後半の「前史」を経て、本格的に「産業社会」から「脱・産業社会」に入った時期でもあった。さらに1980年代後半には、「臨教審」が「追いつき・追いこせ型近代化の終了」という認識を背景として、「学校中心の発想から脱却」した「生涯学習体系への移行」を打ち出した。

「生涯学習」とその社会背景については、後述する機会があると思われる。とりあえず、ここでは、この「脱・産業社会」と「脱・学校論」、そして「オールタナティブ教育」との関連を素描する。それにより、「不登校」に象徴される「学習」の「アパシー」の急増してくる、1980年半ば以降の社会背景を押さえておきたい。

「システム」による「生活世界」の侵食

いわゆる「産業社会」から「脱・産業社会」に入った時期に、I・イリイチなどに代表される近代文明批判と結びついた「脱・学校論」が注目されるようになった。近代の制度としての「病院」「交通」とならんで「学校」が、過剰に制度化された「近代システム社会」の病弊を象徴するものとして、さまざまな仕方で取り上げられた。

「病院」システムへの依存は、自分で自分の身体に聞きながら、「自己調達」できる薬草や養生法などの民間伝承療法を用いて、身体に内在する「自然治癒力」を最大限に生かして「自己治癒」していく力を弱める。

「交通」システムへの日常的依存は、自分の足で、自分に合ったペースで歩く（あるいは自転車をこぐ）「脚力」を低下させる。

同様に、「学校」システムへの依存は、自分自身の関心にしたがって、目標を探究し、自分で学習方法を「工夫調達」して学んでいく「自己学習力」を減退させていく。

こうして、「治療」や「移動」や「学習」の「専門家」による「制度化」の進歩が、逆に「自律共生的（convivial）」な生きた人間関係における「自己治癒力」や「自己移動力」そして「自己学習力」を低下させていく。

このような側面に焦点を当てた論調は、「システム社会」で育った世代の日常的な実感に即したものとして受け入れられていった。「オールタナティブ技術」を提唱した "Small is Beautiful" のE・F・シュマッハー（Schumacher, E. F.）[15]や、「道具的合理性」に貫かれた「システム」による「生活世界」の侵食（「植民地化」）というJ・ハーバーマス（Habermas, J.）の認識[16]も又しかり。同様の状況把握が、論者によって用語こそ異なりながらも、さまざまな視角からなされてきた。

以上のような状況のなかで、「介入主義的な福祉国家の行政的・経済的サブシステムが、本来、不可侵であるべき市民の生活世界にまで侵入し、個人の自律性、個性、自己表現までも国家的枠組みによって管理・

---

15 Schumacher, E. F., 1973, *Small is Beautiful: A Study of Economics As If People Mattered*, Blond & Briggs.（小島慶三訳，1986年，『スモールイズビューティフル』講談社.）

16 Habermas, J., 1981, *Theorie des kommunikativen Handelns*, Suhrkamp.（河上倫逸ほか訳，1985-1987年，『コミュニケイション的行為の理論』未来社.）

統制される危険性に抵抗する運動」(高橋徹「後期資本主義社会における新しい社会運動」[17])が生まれてきた。

教育分野にあっても、「制度化された教育」に代わる「手作りで自前の『学びの場』」を求める機運が高まっている。既存の「システム」や「専門家」に頼らず、国家枠組による「教育システム」に対して、「生活世界」の中にヒューマン・スケールの小さな規模で、「直接的な生きた関係」を機軸にした「自前で手作りの『学びの場』」を創り出していこうとする「動き」(=「ムーブメント」)である。

「フリー・スクール」「支援塾」「学びのコミュニティ」「学びのネットワーク」「ホーム・スクーリング」「ロング・ディスタンス・エデュケーション」「インディペンデント・スタディ」といったものは、この「動き(ムーブメント)」の現れであったりするわけだが、ここでは、「オールタナティブ教育」と総称しておくことにする。

一方、医療の世界における西洋近代医学に対する「オールタナティブ・メディスン」(=「代替医療」)、あるいは技術の世界における「オールタナティブ・テクノロジー」(E・F・シュマッハーの「中間技術」や「ソフト・エネルギー・パス」等)に呼応するものとして、「オールタナティブ教育」を位置づけようとする「動き」も出てきていることも、指摘しておく必要がある。

これはすなわち、「オールタナティブを志向する新しい社会運動」に連動する領域横断的な潮流として「オールタナティブ教育」を位置づけることを意味する。そして、それによって、「不登校」をはじめとする「学校離れ」「学習忌避」「学習に対するアパシー」等は、実は「学校」や「教育」の内部の問題であるにとどまらず、「脱・産業社会」に突入した時期を境とする「社会変動」のもたらした「システム」による「生活世界」の侵食を守ろうとする「一大潮流」のなかで、とらえることが可能

---

17 『思想』1985年11月号，岩波書店.

となるのである。

オールタナティブ志向の新・社会運動とその特徴

「産業社会」から「脱・産業社会」へ移行するにしたがって、労働社会は「効率・生産性・成長」等を重視する「生産」労働から、「質的充実・正当性・人間的要素」等を重視する「サービス」労働へと、分岐・移行する。

また、「所得」と「消費財」の豊かさにおいて、相対的に高いレベルに達した社会を導いている欲求ないし価値は、心理学者のＡ・マズロー（Maslow, A. H.）の「欲求の５段階説」[18]に従うなら、たとえば「豊かな自然環境・生活スタイル・性的アイデンティティ・自己実現・参加・民主的権利・平和」というような「脱・物質的」「脱・所得的」な価値へと移行する。

したがって、従来の富の配分が主題となる「労働運動」を機軸とする「社会運動」が、「物質的な貧困からの脱出」という価値に導かれていたとするなら、物質的には「脱・欠乏社会」を前提とする新たな「社会運動」は、「エコロジカルな貧困」や「日常生活における意味」、「人間関係の貧困」からの解放をめざすものとして表れる。

さらに、「脱・産業社会」は、「成長」や「発展」の限界が見えだした社会である。よって、この胎動する新しい「社会運動」は、「産業社会」の「成長・発展」の論理のもつ「自己破壊的な傾向」に敏感であらざるをえない。そこからうかがえるのが、「成長への批判」という共通の姿勢である。この点は、「成長」「進歩」を信奉していたかつての「労働運動」とは、好対照をなす。

---

18 Maslow, A. H., 1943, “A Theory of Human Motivation,” *Psychological Review*, 50: 370–396.

以上が、この時期に始まる「オールタナティブ志向」をもった「新・社会運動」(=「ムーブメント」)の背景の概観である。これをさらに要約すれば、

①生産中心から、サービス中心への労働の質の移行
②脱・欠乏社会達成後の欲求の変化
③成長・進歩の限界への直面

という、3つの経済的・社会的背景として指摘できる。

さらに、前節で述べた「システムによる生活世界の侵食」を加えることによって、「オールタナティブ志向の社会運動」の出現の、歴史的必然が見てとれる。この「オールタナティブ志向」の社会運動は、次の3点に特徴づけられる。以下に、その概略を箇条書きしておく。

①「生活世界の植民地化」や「国家の市民生活への侵入」に対抗しつつ、「オールタナティブ(代替的)なライフ・スタイル」の具体的な事例を、「かけがえのない他者」と共に、自律的に自ら創出していくこと。
②既成の政党などの政治勢力と結合せず、せいぜい「ゆるやかなネット・ワーク」でつながりながら、それぞれ地域の「草の根」レベルで独立性を維持していること。
③「個人変容と社会変革の同時達成」が強調されること。つまり「プロセス」や「個々人」を、目的(「社会変革」など)のための道具・手段とみるのではなく、「プロセス」における個々人の「学習」や「変容」と、同時並行の「社会変革」をはかること。すなわち、「目的=結果よりも、プロセスの重視」となること。

また、「オールタナティブ教育」は、従来の教育改革の主な2つの方向、①国家や行政システムの指導によるもの、②教職員組合やそれと連

携する正当によるもの、のいずれでもなく、しかも①②の求めた制度の全般的な変革や改善を求めない。以下に、その特徴を3点、要約しておく。

①制度改革に必要なエネルギーを、むしろ、とりあえずは自前で可能な家庭的・ないし共同体的な規模で、実際に「学び」を求めている具体的な子どもと、「共同の生活」を創り出していくことに向ける。（「かけがえのない他者との自律的共生」）
②個々の「学びの場」の横の連合も、必要な課題が生じたときに最小限に連絡しあうにとどめて、「顔の見えるつながり」を保てる地域圏を超えるような、恒常的な組織はつくらない。（「ゆるやかなネットワーク」）
③「オールタナティブ教育」の実践が、「学校」システムを含む社会全体の変革につながっていくにしても、それは、子どもと親やスタッフが「自己変容」を遂げていく「プロセス」の結果的な産物としてとらえ、その逆としては、とらえない。（「個人変容と社会変革の同時進行」、「目的＝結果よりもプロセス重視」）

脱・産業社会と脱・学校の対応関係

次に、「脱・産業社会」への移行における価値観のシフト、つまり①生産中心からサービス中心への労働の質の移行、②脱・欠乏社会達成後の欲求の変化、③成長・進歩の限界への直面、の3点と、「脱・学校」の対応関係について考えていく。

まず、①生産中心からサービス中心への労働の質の移行、においては、画一的な商品を、より大量に効率よく生産する「効率・生産・成長」重視から、サービス消費者の多様なニーズに応える「質的充実・正当性・人間的要素」重視へと価値基準がシフトする。「教育」においても、画一的な人材を大量に効率よく輩出する「教育システム」よりも、さまざまな個性をもつ個々の子どものニーズに応じて、量的よりも質的に高い、人間的要素を重視した「学び」の機会が、当然求められるようになる。これは、まさに1970年代の「人間性中心教育」を受け継ぐ「オールタナティブ教育」のめざしてきたことと重なるものだ。

次に、②脱・欠乏社会達成後の欲求の変化、についてだが、消費財の豊かさにおいてあるレベル以上に達した社会では、「脱・物質的」「脱・取得的」な、「人間関係（帰属と愛・自他への敬意）」や「自己実現」、あるいは「豊かな自然環境」などに、より重い価値がおかれるようになる。そして、「居場所」「出会い」等は、「オールタナティブ」な「学びの場」のキーワードとなっている。

そして、③成長・進歩の限界への直面について述べると、「産業社会」が行き着くところまで行き着くと、右肩上がりの一直線に「成長・発展・進歩」していく未来イメージが抱けなくなり、むしろ「産業社会」の「成長・発展」の論理がもつ自己破壊的な傾向に敏感になる。したがって、人間形成においても、未来の目標へ向けて一直線に突き進むよりも、今この場の、その都度のプロセスの充実を求めるようになる。「新幹線に乗って、レールの上を目的地まで突っ走るよりも、自分の足で、大地を踏みしめながら、ゆっくり歩く」というメッセージが強調されるのである。

以上のように、「産業社会化」が達成されて以降の大きな「社会変動」「価値基準のシフト」は、「中途退学」「不登校」「学校離れ」「学校忌避」等を引き受ける「オールタナティブ教育」の発生事情と、みごとに関連しあっていることが見てとれる。

しかし、一方で、「オールタナティブ教育」は、その当初、何に「反対する（against）」かはわかっていたが、何に「向かって（for）」いくかは、必ずしも明確ではなかった。そして、1990年代にかけて、その模索が続けられるなかで、既存のものに対する「もう一つ別の（alternative）」

という定義だけでなく、積極的に、自らを方向づけるコンセプトを必要としてきたことも付記しておかなくてはならない。

「ホモ・エコノミクス」から「ホモ・リフレクション」へ

また、1980年代の「産業社会」から「脱・産業社会」への社会変動にともなう価値観の変動に対応させて、「オールタナティブ教育」の背景を押さえておきたい。

近代化過程における「学校教育」は、いわば「必要からの解放」の原則で機能してきた。

心理学者のA・マズローの「欲求の5段階説」によれば、人間の欲求充足が最も基礎的であり、次いで「安全欲求」「愛情欲求」「尊敬欲求」ときて、最高次に、生き甲斐とか自己達成などの「自己実現欲求」が現れてくる。

ところで、この「欲求段階説」は、人びとの「欠乏感」が前提となっている。基礎的な欲求が満たされても、次の段階の欲求充足が欠けているから、それを求める。つまり、A・マズローの欲求分類には、「欠乏動機」という考え方が前提とされている。

かくして、A・マズローの学説に基づけば、これまでの「学校教育」は、国民の「知的啓蒙」と「社会化」という「欠乏動機」の充足をもっぱらの課題としてきたことが理解できる。国民の側から見るならば、子どもを「学校」に通わせて、「産業社会」を生き抜く「パスポート」としての「基礎学力」、さらには「学歴」を身につけさせるという「欠乏動機」を満たすことに、教師の仕事が期待されてきたのである。

ここで「欠乏」しているものは、どの子どもにとっても共通のものである。したがって、子どもを集団（＝「マス」）として扱い、「産業社会」を担いうる能力を、すべての子どもに分かち与えてきたわけである。そこでは、親も教師も、少数の例外を除いて、子どもの「存在欲求」や「自己実現欲求」を満たす必要性をほとんど感じてこなかったのである。

しかしながら、産業化の「原理」そのものが問われてきている現在の「脱・産業社会」にあって、「学校」における子どもの「学習」は、将来への準備という手段性、道具性を越えた、「自己充足的（consummatory)」なもの、「自己目的」なものが求められてくる。「学ぶこと」自体に喜びを感じ、「追究する」ことそれ自体に生き甲斐を見出すような「学習」が求められるのである。

本来の「学習」とは、「対象」とかかわりつつ自己の「生活世界」や「意味世界」そのものを、より「構造的」なものに組み換えていく営みである。それは、人が本来の能動性のなかで生きることと固く結びついた営みなのだ。ところが、これまでは「近代の社会システム」に適応する「手段的学習」「追随型学習」ばかりが強調され、子どもの生きる「生活世界」そのものを、あたかも無価値なもののごとく分析し、抑圧してきたのである。

だが、このような近代の「学校教育」のパラダイム自体が、いまや行き詰まり状態にあることは、もはや誰の目にも明らかとなった。大人も子どもも、単なる「労働」や準備としての「学習」ではなく、生きることの「意味充実」と結びついた「労働」や「学習」を求めている。それは、文明論的観点から見るならば、「ホモ・エコノミクス（homo economicus)」（＝「経済人」）から、「ホモ・リフレクション（homo reflection)」（＝「自省人」）への大きな転換を意味している。

「生産性」のために働き、学ぶというのではなく、お互いの「生活世界」を有意味に充実させていくためにこそ、「学び」「働く」という「脱・産業的」なライフ・スタイルが強く求められてきているのである。

第3節 「学び」の源泉を求めて

「ポスト・モダン」の時代の「学び」

こうして、いまや「近代化」時代の「教育」は終わりを告げ、「ポスト・モダン」の時代の「学び」が求められている。社会の進歩や経済発展の土台として機能してきた学校教育・民間教育から、個人の「自己実現」や「学び」のネットワークを支援するものへの組み替えが、現在、強く望まれているのではないだろうか。すなわち、学習の場としての学校、さらには民間教育機関を、一元的にして均質で閉鎖的な「機能空間」から、開放的で多元的にして、祝祭性に満ちた象徴的な「意味空間」へと組み替えていくことが、強く求められている。

これからの学校と民間教育機関は、手作りの個性豊かな作品を生み出す芸術家の「アトリエ」にも似た、自由で伸びやかな空間とならなければならない。それは、多元的で多様な人間関係に満ちた、象徴的な「意味空間」であり、しかるが故に、そこは、まさに「学ぶヒト」としての子どもが、自分の生きる世界を常に新しく発見し、その生を自己組織化してゆける空間でなければならない。

1985年3月、第4回ユネスコ国際会議「成人教育」パリ会議は、「学習権なくして、人間的発達はあり得ない」として、「学習権」宣言を、以下のとおり行っている。

学習権とは、
　読み書きの権利であり、
　問い続け、深く考える権利であり、
　想像し、創造する権利であり、
　自分自身の世界を読みとり、歴史をつづる権利であり、

あらゆる教育の手だてを得る権利であり、
個人的・集団的力量を発揮させる権利である。
（以下略）

ここには、ポスト・モダンの「人間の学び」を実現していくための方向性が端的に示されている。これは、「人間の学び」の本質をふまえ、近代以降の「学習権」の思想を現代に具現化するものである。

学習権は、「教育を受ける権利」と同義ではない。ヒトが「人間的発達」をとげるのに必要な「教育」を要求し、選択し、場合によっては拒否することもあり得る「教育への権利」として具体化されなければならない。ポスト・モダンの時代の「学び」は、このような意味での「学習権」を保障するものでなければならぬゆえんである。

「出会い」と「対話」の場・「学びあう」関係の創出

学ぶことは、ヒトが本来もっている特質である。ヒトは、成長・発達に関して、生物学的・遺伝的要因にあまり制約を受けない動物である。

誕生の瞬間から、ヒトは「学習」を通して「人間」になっていく。誕生したての乳児の弱々しさ、未熟さは、限りなき「可塑性」「発達可能性（ポテンシャル）」を秘めた姿でもある。そして、誕生後は、人間の文化にふれ、それを「他者」と共有しあいながら、多様な人間的資質と能力とを獲得し、人間としての発達をとげていく。この過程は、環境や文化の影響を単に受容するだけのものではなく、能動的・選択的な「学習」の過程であるともいえる。

ヒトは、「周囲の事物」にはたらきかけることを通して、「自分」と「対象物」との間に、ある「関係性」を作り出し、自分の「行動」と「周囲の事物」に「意味（meaning）」を与えていく。つまりヒトは、さまざまな対象への「はたらきかけ（interaction）」を通して、「関係性」の網目としての「意味世界」を構成していく。そして、このような「活動的関係(active relations)」を媒介としながら、「人間と事物の世界」ばかりでなく「自分自身」をも「理解 (understand)」していくのである。

こうして、「関係が成立すること」「意味を獲得すること」「世界と自分を理解すること」の三つがあって、ヒトは「経験」するのであり、また、そこにこそ「学び」が成立する。別言すれば、「学び」が「学び」として成立するための要件は、「出会い」と「対話」ということになる。

すなわち、「モノ」や「他者」や「自分」との「出会い」なしには、「学び」は成立しない。同様に、「モノ」や「他者」や「自分」との「対話」を含まない「学び」は、存在しえないのである。

かくしてヒトは、Something、Somebodyとの「出会い」を起点として、Something、Somebodyとの「対話」を通して、「自分」という存在を「かたどり」、「世界」を「かたどる」経験の軌跡を創出することができる。

「学校化された学び」(=「勉強」)は、本来の「人間の学び」から乖離し、事物そのものにはたらきかけ、「モノ」とのかかわりのなかで、知識を自ら構成していく(つまり「理解する」)ものではなくなっている。そして、そうした行為とは無関係なところで、「〜についての知識」ばかりが、活字・映像等のメディアを媒介にして大量に受容され、消費されていく現在、「出会い」と「対話」を組織化する「学び」の場と、「学びあう」関係とを創出することこそが急務である。

本書は、グローバル教育研究会イーグルによる記念誌
『新言語教育学』（2013年7月9日発行）を底本とし、
その一部を改変して制作された。

横瀬和治（よこせ・かずはる）

1945年、東京都八王子市生まれ。明治学院大学大学院修士・博士課程にて、英語学・応用言語学を修める。専門は、外国語教育・バイリンガリズム・バイリテラシー・第二言語習得・言語心理学。1973年～1995年にかけて、LCS教育研究所（1973年）、（株）ラックス生活分析研究所（1986年）、（株）サンプロップ研究所（1989年）、ACEロサンゼルス第二言語研究所（1990年）各所長を歴任。日本国内では、民間教育機関（外国語学校、予備校、学習塾、学習センター）の研究・企画・開発・運営・コンサルティングに携わり、米国（カリフォルニア大、オレゴン大）・カナダ（トロント大、ウォータルー大）・オーストラリア（ボンド大、アジリス外国語学校）にあっては、「第二言語習得」理論に基づくリテラシー教育とThe Total Immersion Programの開発実験に従事した。その後、宮城県宮城郡利府町にSLAリサーチ研究所（1996年）を設立し、「機会開発」としての学びをコンセプトとする私塾NeoALEXを付設。以来、暁星国際学園ヨハネ研究の森コース（2001年設立）代表を務めるなど、画期的なスタイルによる教育の在り方を研究･開発し、各方面から注目を集めている。

ことばが世界をひらく

新言語教育学

2022年8月30日　初版第1刷発行

著　者　横瀬和治

発行人　笠原正大

発行所　学而図書

〒222-0033 神奈川県横浜市港北区新横浜3-7-7 新横浜アリーナ通りビル3F

TEL 045（550）7057　　FAX 045（550）7058

URL https://www.gakuji-tosho.jp

表紙題字「言」 永田灌櫻　　カバーデザイン　さかせがわてつや（tetbottle）

印刷・製本　モリモト印刷株式会社

Printed in Japan　ISBN978-4-9912091-6-1 C0037